PRYFYN a'r SÔS COCH

SIÂN LEWIS

Lluniau
HELEN FLOOK

Gomer

Cyhoeddwyd gyntaf yn 2014 gan
Wasg Gomer, Llandysul, Ceredigion, SA44 4JL
www.gomer.co.uk

ISBN 978 1 84851 789 9

Cyhoeddwyd gyda chefnogaeth Llywodraeth Cynulliad Cymru.

Argraffwyd a rhwymwyd yng Nghymru gan
Wasg Gomer, Llandysul, Ceredigion.

Dad
Mam
Fel
Twmcyn
Eth
Heilyn a Hopcyn

Tal Slip

Angelbert

Crafydd ap Burum

Llywela

Wag

Hys-Bssssss

Yn dod yn fuan i sinema yn dy ymyl di:

Waw! Mae pawb drwy'r wlad eisiau gweld y ffilm anhygoel hon, ond does neb yn fwy cyffrous na staff Swyddfa Bost Canolbarth Cymru. Hebddyn nhw fyddai'r ffilm erioed wedi bod.

Dyma'r stori!

Y dechrau

Diwrnod braf ym mis Hydref oedd hi, a Gweneira'r postmon yn hymian yn llon wrth barcio'i fan goch yn ymyl Cors Eth yng Nghanolbarth Cymru. Lle gwlyb a mwdlyd oedd Cors Eth ac, fel arfer, byddai llawer o bryfed yn hymian dros y dŵr. Ond yn rhyfedd iawn, doedd dim sŵn '**bssssss**' o gwbl y diwrnod hwnnw. Yr unig sŵn i'w glywed oedd Gweneira'i hun yn hymian, '***Tym-ti-tym***.'

Ers mis roedd bocs postio lliw aur yn sefyll ar lannau'r gors. Ers mis roedd Gweneira wedi dod i'r gors yn rheolaidd i gasglu llythyron. Ond doedd 'na byth lythyr i'w gasglu. Bob dydd roedd y bocs yn gwbl wag – tan heddiw!

'***Tym-ti-tym . . . O, waw!***' meddai Gweneira, pan agorodd hi'r bocs a gweld yr amlen wen hardd y tu mewn. '***O, WAW!***' meddai eto, wrth weld y sgrifen ar yr amlen.

Wel, am amlen wych! Roedd y sgrifen mor dwt, a'r côd post mor glir a chywir. 'Ardderchog!' meddai Gweneira'n falch. 'Fe ofala i fod yr amlen hon yn cael ei gyrru ar wib ar draws Cymru. Yn bendant, mi fydd hi wedi cyrraedd Ms Tili Lagwna erbyn brecwast bore fory.'

Rhoddodd Gweneira'r llythyr yn ofalus iawn yn ei sach, ac yn ôl â hi at ei fan â gwên ar ei hwyneb. Ar y ffordd fe welodd hi ddau beth drewllyd, brwnt yn gorwedd ar y llawr.

'**Iych!**' gwaeddodd Gweneira. '**Iych! Iych!**' Beth yn y byd oedden nhw? Dau glwtyn a ddefnyddiwyd gan dîm rygbi Cymru i sychu'r mwd oddi ar eu hesgidiau? Dau racsyn a ddefnyddiwyd gan fugail i lanhau ci defaid oedd wedi rholio mewn tomen dail?

Nage. Amlenni oedden nhw. Oni bai bod Gweneira'n bostmon, fyddai hi byth wedi sylweddoli hynny.

'**Pw!**' meddai Gweneira'n grac. 'Pwy daflodd y llythyron hyn i'r llawr yn lle'u rhoi nhw'n ofalus yn y bocs?'

Â blaenau'i bysedd, fe gododd Gweneira'r llythyron a'u gollwng i'r sach *Amlenni Ych a fi* ar lawr ei fan. Yna, â gwg ar ei hwyneb a heb hymian o gwbl, fe yrrodd hi'n ôl i Swyddfa Bost Canolbarth Cymru.

Morus Mot D.S.A. a'i gamgymeriad

Yn gynnar fore drannoeth roedd Morus Mot yn eistedd wrth ei ddesg yn Swyddfa Bost Canolbarth Cymru. Darllenydd Sgrifen Anniben oedd Morus Mot, ac unwaith eto roedd e'n barod am ddiwrnod o waith caled.

Bob dydd roedd cannoedd o amlenni'n disgyn ar ddesg Morus Mot, ac ar bob un o'r amlenni hyn roedd sgwigls. Weithiau roedd y sgwigls yn edrych fel pentwr o fwydod sy wedi cael damwain anffodus dan ddaear. Weithiau roedden nhw'n edrych fel traed haid o frain sy'n dawnsio mewn disgo. Ond nid mwydod oedden nhw, na thraed brain chwaith.

GEIRIAU oedd y sgwigls.

CYFEIRIADAU.

Oni bai am Morus Mot, byddai pob un o'r amlenni hyn yn glanio yn y bin, achos fyddai gan neb syniad at bwy i'w hanfon.

Drwy lwc, roedd Morus yn bencampwr ar ddarllen sgwigls. Er enghraifft, pan welodd Morus yr amlen hon, fe waeddodd 'Wrecsam!' yn syth bìn.

Rhyfeddol!

Nawr dyfala di beth yw hwn:

Dim cliw?

Gad i Morus dy helpu.

'Cwmbrân,' meddai Morus yn bendant.

Nawr dyma i ti sgwigl anodd, anodd, anodd.

Roedd rhaid i Morus gael tâp mesur i'w helpu i ddatrys hwn.

Wedi mesur y sgwigl yn ofalus, ac edrych ar fap o Gymru, dwedodd Morus, 'Llanfairpwllgwyngyllgogerychwyrndrobwllllantysiliogogogoch yw'r enw ar yr amlen hon.'

Ac, wrth gwrs, roedd e'n hollol gywir.

Felly, pan ddaeth Gweneira i mewn i'r swyddfa ben bore a dweud, 'Mae gen i ddwy broblem anodd iawn i ti heddiw, Morus,' fe rwbiodd Morus ei ddwylo'n gyffrous.

Ond '**PW!**' meddai'r Darllenydd, pan laniodd y ddwy broblem â sŵn sblatian ar ei ddesg. '**Iych!**' meddai wedyn, a chodi'r amlenni â blaenau'i fysedd. Doedd e erioed wedi gweld sgwigls mor anniben. A dweud y gwir, doedd e ddim yn gweld sgwigls o gwbl. Roedd pob gair wedi'i lyncu gan drwch o fwd neu wedi'i olchi i ffwrdd gan ddŵr brwnt.

Nawr mi fyddai person cyffredin, ar ôl gweld maint y broblem, wedi plethu breichiau a snwffian mewn llais main, 'Alla i ddim darllen y cyfeiriadau sy ar yr amlenni hyn. Mae'n amhosib!' Wedyn mi fyddai person cyffredin wedi stelcian i ffwrdd i'w stafell wely i bwdu.

Ond doedd Morus ddim yn berson cyffredin. Felly dyma be wnaeth e:

1. Fe roddodd e'r amlenni rhwng dau ddarn o bapur cegin a blotio peth o'r mwd i ffwrdd.
2. Fe sychodd yr amlenni'n ofalus iawn â sychwr gwallt.

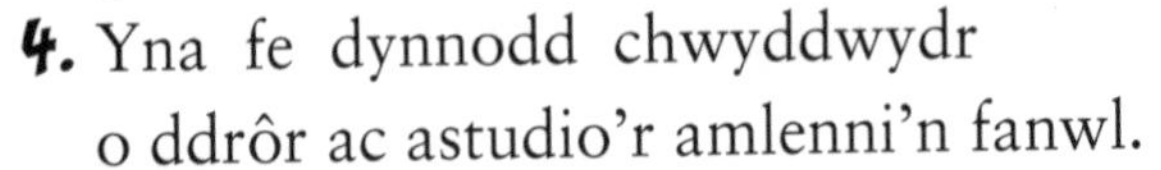

3. Fe blygodd goes y lamp oedd ar ei ddesg a rhoi'r amlenni o dan y golau.
4. Yna fe dynnodd chwyddwydr o ddrôr ac astudio'r amlenni'n fanwl.

Yn anffodus, hyd yn oed ar ôl gwneud hyn i gyd, doedd e ddim callach. Felly be wnaeth e? Fe benderfynodd ddefnyddio'i drwyn.

'Os galla i benderfynu o ble daeth yr amlenni, bydd hynny'n rhoi cliw i fi,' meddai Morus wrtho'i hun.

Cliriodd Morus ei lwnc a chau ei lygaid. Pwysodd yn ôl yn ei gadair a chodi'r amlen gyntaf at ei drwyn. Sniffiodd yn hir. Llusgodd yr arogl i waelod ei ysgyfaint. Chwythodd e allan yn araf, araf gan flasu popeth.

'Dwi'n gallu arogli mwd,' meddai Morus Mot. 'Ond nid mwd cae rygbi yw e, nac unrhyw gae arall chwaith.

'Dyw e ddim yn fwd buarth fferm, achos dyw e ddim yn cynnwys arogl dom nac arogl hen welis.

'Mae'r mwd hwn yn llawn oglau pysgod a slywod, brogaod, traed hwyaid a . . . GOGLS!'

Agorodd Morus ei lygaid led y pen. Roedden nhw'n disgleirio fel sêr.

'**HWRÊÊÊÊ!**' gwaeddodd yn llawn cyffro. 'Dwi'n nabod yr arogl hwn. Arogl cors yw e – a dwi'n gwybod yn union pa gors!'

Roedd Morus yn gwybod am ei fod wedi arogli pysgod a slywod, brogaod, traed hwyaid a . . . GOGLS!

Mae pob cors yn arogli o bysgod a slywod, brogaod a thraed hwyaid, ond dim ond *un* gors sy'n arogli o gogls. A'r gors honno yw Cors Eth yng Nghanolbarth Cymru, lle mae Eth Huws – cors-snorclwraig orau'r byd – yn ymarfer.

Felly, cyn gynted ag yr aroglodd Morus y gogls – a'r ffliperi a'r snorcel hefyd – roedd e'n gwybod yn union o ble oedd yr amlen wedi dod, a phwy oedd wedi sgrifennu'r cyfeiriad arni – Eth Huws, wrth gwrs. Ond i ble oedd yr amlen i fod i fynd? Dyna'r broblem fawr . . .

Cydiodd Morus yn ei chwyddwydr unwaith eto a phwyso'i drwyn ar yr amlen gyntaf. Beth welodd e ond dwy lythyren fawr, tua dau gentimetr oddi wrth ei gilydd: D . . . D.

Lledodd gwên fuddugoliaethus dros wyneb Morus. '**A!**' meddai. '**Aha! Aha! AHA!**' Cododd ei ddwrn a phwnio'r awyr. Roedd gan Eth Huws

Glwb Ffans. Doedd Morus erioed wedi bod yn aelod o'r Clwb, ond roedd e wedi gweld y ffurflen lawer tro ac yn gwybod mai enw llywydd y Clwb oedd Dexter Dolffin. D . . . D!

'Dwi'n siŵr mai llythyr i Dexter Dolffin oddi wrth Eth Huws yw hwn!' meddai'n falch.

Ac wrth gwrs, roedd e'n hollol gywir.

Yn hapus ac yn llawn cyffro, fe gydiodd Morus yn yr ail amlen a sugno'r arogl i'w drwyn. Unwaith eto fe aroglodd bysgod a slywod, brogaod a thraed hwyaid, gogls, ffliperi a snorcel. Roedd yr amlen hon hefyd wedi dod o Gors Eth. Ond, ***O-O!*** Pan edrychodd Morus drwy'i chwyddwydr ar glawr yr amlen, allai e ddim gweld un llythyren o gwbl. Dim hyd yn oed dot.

'Mi wna i agor yr amlen i weld a oes cliw ynddi hi,' meddai'n benderfynol.

Doedd Morus erioed wedi agor amlen wedi'i chyfeirio at rywun arall o'r blaen, ond doedd e erioed wedi wynebu problem mor anodd chwaith. Felly, fe drodd yr amlen wyneb i waered. Ond cyn gorfod llithro'i fys o dan y fflap, gwelodd Morus sgwigl ar GEFN yr amlen. Ar unwaith cododd ei chwyddwydr a chraffu.

'**Aha!**' meddai Morus. 'Mae 'na un gair yma!'

Y gair hwnnw oedd: *Pry-fardd.*

'Pry-fardd!' giglodd Morus. 'PRY-fardd! Am sillafu gwael!' A chan ddal i giglan, fe estynnodd feiro coch, croesi allan yr 'y', a rhoi 'i' yn ei lle. 'Dyna welliant,' meddai Morus yn falch. 'Prifardd yw'r gair cywir. Bardd pwysig sy wedi ennill coron neu gadair yn yr Eisteddfod Genedlaethol yw prifardd. Ond beth yw pry-fardd? Pryfyn sy'n sgrifennu barddoniaeth? **Hi hi!** Does 'na ddim o'r fath beth.'

Hm! Yn amlwg doedd Morus Mot erioed wedi clywed am y bardd enwog R. Williams Pry. Felly, am y tro cyntaf yn ei fywyd, roedd Morus Mot ar fin gwneud camgymeriad. Un mawr. Cododd ar ei draed a gweiddi'n gyffrous nes bod ei lais yn atsain o un pen y swyddfa i'r llall, 'Rhoj! Rhoj, dere 'ma!'

Ffrind Morus oedd Rhoj (enw llawn: Rhonabwy O'Landaf Jones). Roedd Rhoj yn bostmon a hefyd yn brifardd. Ar ôl gweld y gair ar gefn yr amlen, roedd Morus yn hollol sicr mai llythyr i'w ffrind oedd hwn.

'Rhoj!' bloeddiodd eto.

Gwthiodd Gweneira'i phen rownd drws y swyddfa. 'Mae diwrnod bant gan Rhoj,' meddai. 'Dyw e ddim yn y gwaith heddiw.'

'**O!**' meddai Morus yn siomedig. 'Mae llythyr pwysig wedi cyrraedd i Rhoj o Gors Eth. Dwi'n siŵr mai llythyr oddi wrth Eth Huws yw e.'

'**Waw!**' meddai Gweneira a'i llygaid yn disgleirio fel cant o ddiemwntau. Yn wahanol i Morus, roedd Gweneira'n un o ffans Eth Huws. 'Falle bod Eth eisiau i Rhoj sgrifennu darn o farddoniaeth am gors-snorclo,' awgrymodd.

'Falle, wir!' meddai Morus a'i lygaid yn serennu.

Roedd Morus yn ffan mawr o farddoniaeth Rhoj, ac yn falch bod ei ffrind am gael cyfle i sgrifennu cerdd. 'I Dexter Dolffin mae'r llythyr arall.'

'Fe a' i â nhw draw'n syth at y ddau,' meddai Gweneira'n frwd. I feddwl ei bod hi wedi dweud '**Pw!**' y diwrnod cynt ac wedi rhoi'r llythyron yn y sach *Amlenni Ych a fi*! Fyddai hi BYTH wedi meiddio gwneud hynny petai hi wedi sylweddoli mai llythyron gan Eth oedden nhw. Doedd Eth Huws bron byth yn sgrifennu at neb, felly roedd hi'n fraint arbennig cael cydio mewn llythyr a anfonwyd gan y gors-snorclwraig fyd-enwog.

Yn wên o glust i glust aeth Gweneira i nôl bag glân, drud. Dododd y llythyron yn ofalus yn y bag, ac i ffwrdd â hi ar ei hunion i'w cludo i Rhoj ac i Dexter Dolffin.

Iym!

Roedd hi'n hanner tymor, a'r bore hwnnw – cyn i Gweneira adael y swyddfa – roedd y Prifardd Rhonabwy O'Landaf Jones wedi mynd â'i wraig a'i ddau fab bach am dro i weld Nain a Taid. Mi fyddai Rhoj wedi mynd â'i ferch hefyd, ond roedd Fel (enw llawn: Felfor Angharad Rhonabwy) wedi gwrthod dod am ei bod hi'n rhy brysur.

'Rho sws fawr i Nain a Taid, a dwed wrthyn nhw y gwela i nhw cyn bo hir,' meddai Fel.

Cyn gynted ag i Mam a Dad a'r ddau fabi yrru i ffwrdd, roedd Fel wedi brysio i'w sied yng ngwaelod yr ardd. Gosododd neges – NEB I MEWN – ar y drws a'i gloi ar ei hôl cyn eistedd wrth ei desg, a thynnu pentwr o lyfrau o'r drôr.

Llyfrau coginio bwyd iach oedden nhw i gyd. Llyfrau'n llawn dop o ryseitiau blasus a maethlon – Cyrri Bresych, Omled Madarch, Byrgyr Seleri a Phys, Cawl Sbrowts – a phethau iymi felly. Edrychodd Fel drwy bob llyfr yn fanwl iawn, ac ar ôl dewis chwech o'r ryseitiau gorau, fe aeth ati i lunio rhestr siopa.

Chwarter awr yn ddiweddarach, pan ganodd Gweneira gloch drws ffrynt y tŷ, roedd Fel yn dal wrthi. Canodd Gweneira'r gloch ddwywaith, ond chlywodd Fel 'run smic. Chlywodd hi mo'r llythyr mwdlyd yn plopian drwy'r blwch llythyron chwaith. Roedd hi'n rhy brysur yn sgrifennu:

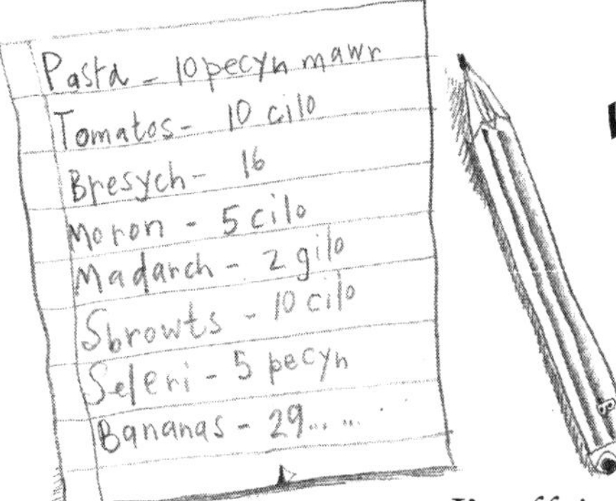

Waw! Am restr anferth. Yn amlwg roedd Fel yn bwriadu cynnal parti. Ond i bwy?

I'w ffrindiau ysgol?

I'w theulu a Twmcyn drws nesa?

I aelodau Clwb Ffans Eth? (Fel yw aelod rhif 45).

Na, na, na. Bydd yn barod am sioc . . .

Roedd Fel yn mynd i goginio bwyd i griw o bobl sy'n byw ar ynys fechan yng nghanol Cors Eth. Roedd hi am gynnal parti i'r . . . COGS!

'**AAAAAAAAAAAAAAA!**'

Glywais i ti'n sgrechian? Os do, rwyt ti'n amlwg wedi darllen y llyfrau *Cawl Bys* a'r *Cwpan Cors-snorclo* ac yn nabod y Cogs. Os nad wyt ti'n eu nabod nhw, dyma'r hanes i ti.

Hanes Rhyfeddol a Dychrynllyd y Cogs

Rai blynyddoedd yn ôl, roedd 'na bum person annwyl a diniwed yn byw yng Nghanolbarth Cymru. Eu henwau oedd:

Ann Jones

Jim Dafis

Un diwrnod, yn anffodus iawn, fe ddechreuodd y pum person annwyl hyn sgrifennu barddoniaeth. Yn fwy anffodus fyth, er iddyn nhw sgriblan yn brysur o fore gwyn tan nos, roedd eu barddoniaeth yn rwtsh. Enillon nhw 'run gadair na choron erioed, felly fe benderfynon nhw ffurfio grŵp o'r enw ***Y Coginfeirdd*** a mynd ati i baratoi cyfres o raglenni coginio ar gyfer y teledu. Yn ystod pob rhaglen roedd y pump yn creu ryseitiau oedd yn odli.

Syniad da, meddet ti?

Hm! Dyma i ti un enghraifft o'u ryseitiau:

Sâl-ad
Cymer letys o'r tŷ gwydr.
Torra i ffwrdd bob deilen fudr.
Rho'r dail hyn ar blât a'u gweini
Gyda llwyth o falwod sleimi.
Llygaid brain mewn sôs tabasco
Chwech twrch daear wedi llwydo,
Wisgers cath mewn picalili,
Cynffon ci ynghyd â'i……

Alla i ddim cofio diwedd y rysáit, ond dwi'n siŵr dy fod ti wedi mynd i'r tŷ bach i daflu i fyny erbyn hyn, beth bynnag.

Roedd bwyd y Coginfeirdd (neu'r 'Cogs', fel roedd pawb yn eu galw) yn AFIACH. Doedden nhw'n poeni dim am y cynhwysion. Dim ond yr odl oedd yn bwysig. Yn ystod pob rhaglen roedd y Cogs yn gorfod bwyta'r bwydydd **iychi** hyn, a chyn pen dim roedden nhw wedi troi'n greaduriaid hyll.

Annioddefol o hyll!

Tro'r dudalen.

Y Coginfeirdd

Pennaeth y Cogs a phedwar o'i swyddogion

'**AAAAAAAAAAA!**'

Nawr rwyt ti'n sgrechian, yn dwyt?

'Sdim rhyfedd.

Weli di Tal Slip? Talfan Sliper-Jones oedd hwnna unwaith. Ie, Talfan Sliper-Jones â'i wallt melyn a'i wên annwyl yw Tal Slip. Angelbert Iymi-binc yw ffugenw Betsi Ifan. Crafydd ap Burum yw Tom Tomos. Llywela Llywola yw Ann Jones, a Wag yw Jim Dafis. Mae'r pum person annwyl a phrydferth hyn wedi troi'n fwganod. Dyna sy'n digwydd pan wyt ti'n bwyta bwyd afiach. **IYYYYYYYYYYYYYCH!**

Nid yn unig mae'r Cogs yn hyll o ran golwg, ond maen nhw hefyd yn hyll o ran cymeriad. Maen nhw'n fileinig ac yn beryglus tu hwnt. Ar ôl i'w ryseitiau achosi i filoedd o bobl fynd yn sâl, fe ffodd y pum Cog a nifer o'u ffrindiau i ynys fechan yng nghanol Cors Eth. Paid ti â mentro mynd yn agos atyn nhw. Byth. Iawn?

Iawn.

Felly pam mae Fel am fentro mynd yn agos?

Mae Fel eisiau achub y Cogs. Mae hi'n mynd i'w gwneud nhw'n annwyl a diniwed unwaith eto drwy eu bwydo â bwyd iach, meddai hi.

Y-o! Os aiff Fel draw i Gors Eth, digon posib y bydd y Cogs wedi'i bwyta hi cyn iddi gael cyfle i lanhau'r sbrowts hyd yn oed! (Ydyn, maen nhw'n ganibaliaid!) Does ond gobeithio y bydd Mam a Dad – neu ffrind Fel, Twmcyn Lewis – yn gallu ei pherswadio i aros gartre.

Neb i Mewn?

Yn y tŷ drws nesaf i Fel, roedd Twmcyn yn gyffrous dros ben. Roedd e newydd gael neges destun gan Dexter Dolffin, llywydd Clwb Ffans Eth. **Waw!** Ar ôl ei darllen, tynnodd Twmcyn ei waled o'r drôr, a mynd ar ei union i chwilio am Fel.

DRING! DRING! DRIIIIIIIIIIIIIIIIIIIIIIIING! Pwysodd ei fys yn galed ar gloch drws ffrynt y Jonesiaid.

Dim ateb.

'Fel! Fel!' gwaeddodd Twmcyn drwy'r blwch llythyron. 'Ble wyt ti?'

Dim ateb eto. Roedd Twmcyn wedi gweld Rhoj a Jen a'r ddau fachgen bach yn mynd i ffwrdd yn y car, ond doedd Fel ddim gyda nhw. Ble oedd hi? Rhedodd Twmcyn nerth ei draed ar hyd y llwybr i'r ardd gefn.

Gwaeddodd a rhuthro at y sied. Cododd y glicied a rhoi hwb i'r drws.

Roedd y drws ar glo.

'Fel!' bloeddiodd Twmcyn, a churo ar y ffenest.

Yn y sied, y tu ôl i'r llenni, gwasgodd Fel ei gwefusau'n dynn. Roedd y sŵn sydyn wedi'i dychryn, gan achosi i'w beiro lithro dros y papur a gwneud sgwigl anniben ar ei rhestr siopa.

'Fel! Fel!' gwaeddodd Twmcyn, ac ysgwyd y drws. 'Agor y drws 'ma!'

'Does neb i mewn, Twmcyn,' meddai Fel yn swta. 'Alli di ddim darllen y neges ar y drws?'

'Paid â bod yn ddwl!' gwaeddodd Twmcyn yn uwch eto, gan guro'n ffyrnig. 'Agor! Mae . . .'

'**NA!**' meddai Fel yn benderfynol, gan roi'i

dwylo dros ei chlustiau. 'Dwi ar ganol gwneud gwaith pwysig. Alla i ddim stopio nawr. Dos o 'ma!'

'Ond Fel,' gwichiodd Twmcyn, 'mae gen i newyddion am Eth!'

'I FFWWWWWWWRDDD!' gwaeddodd Fel ar ei draws.

Llyncodd Twmcyn mewn syndod. Fel oedd un o ffans mwyaf Eth Huws. Roedd ei sied yn llawn o luniau o'r gors-snorclwraig fyd-enwog. Felly pam doedd hi ddim yn agor y drws?

Roedd dwylo Fel dros ei chlustiau, dyna pam. Petai hi wedi clywed enw Eth, mi fyddai wedi rhedeg i agor y drws ar unwaith. Ond chlywodd hi 'run gair, felly fe ddaliodd ati i chwyrnu '**Cer i ffwwwwwwwrdd!**' nes i Twmcyn ochneidio a chripian at y gât.

Ar ôl munud neu ddwy, sbeciodd Fel drwy gil y llenni. Dim sôn am Twmcyn. **Whiw!** Tynnodd ei dwylo o'i chlustiau a brysio'n ôl at ei rhestr.

'Erfin, pys, moron, ciwcymber,' mwmianodd. 'Iawn. Dwi'n meddwl bod popeth gen i heblaw'r sôs coch.’ A chan godi’i beiro, fe sgrifennodd

ar waelod y dudalen.

Y?

Tri deg o boteli?

Ydy Fel wedi gwneud camgymeriad?

Nac ydy. Mae Fel yn ferch gall iawn. Er ei bod hi’i hun yn dwlu ar fwyd iach, mae hi’n sylweddoli nad yw pawb ’run fath. Weithiau bydd ei dau frawd bach, Heilyn a Hopcyn, yn poeri llwyeidiau o fresych blasus dros y ford, neu’n lluchio dyrneidiau o sbrowts iymi dros y llawr. Bryd hynny, bydd Mam yn rhoi diferyn o sôs coch ar ben y llysiau ac yn twyllo’r ddau fach i lyncu llwyaid neu ddwy. Doedd y Cogs ddim yn debyg o fod damaid callach na Heilyn a Hopcyn, felly dyna pam roedd Fel wedi ychwanegu 30 potelaid o sôs at ei rhestr siopa.

Plygodd Fel ei rhestr a chodi ar ei thraed gan wenu'n llon. Estynnodd ei phwrs o'r drôr. Yn y pwrs roedd yr holl arian roedd hi wedi bod yn ei gynilo ers misoedd. Rhoddodd y pwrs a'r rhestr mewn bag, ac i ffwrdd â hi'n sionc i'r Siop Fawr.

Ta Ta, Sôs

MMMMMMMM! Roedd Fel wrth ei bodd! Dyna hwyl oedd arogli tomatos, a dewis y bresych gorau a'r sbrowts mwyaf gwyrdd a ffres yn y Siop Fawr. Am awr gron fe grwydrodd Fel o gwmpas y lle, yn llenwi'i throli â bwydydd iach.

Erbyn iddi gyrraedd y peth olaf ar y rhestr, roedd y troli'n llawn dop, a'r olwynion yn gwichian a phrotestio wrth iddi anelu am yr ale **SÔS A SBEIS**. Stopiodd Fel y troli o flaen y silff sôs coch. Pwysodd drosti ac estyn ei llaw.

Y?!

Tynnodd ei llaw'n ôl mewn braw.

Roedd y silff yn wag.

'Fe bryna i sôs brown yn lle'r un coch,' penderfynodd Fel, ac estyn ei llaw tuag at y silff sôs brown.

Y?!

Tynnodd Fel ei llaw'n ôl mewn braw. Eto.

Roedd y silff honno hefyd yn wag.

Roedd pob un o'r silffoedd sôs yn gwbl, gwbl wag!

Doedd 'na'r un botel o sôs i'w gweld yn unman.

Crafodd Fel ei phen yn ddryslyd. Beth yn y byd oedd wedi digwydd i'r sôs?

Draw ym mhen pella'r ale roedd Henri – ei chefnder, oedd yn gweithio yn y siop – yn llwytho'r silffoedd.

'Henri!' galwodd. 'Ble mae'r sôs coch?'

'Dim ar ôl,' atebodd Henri. 'Rwyt ti'n rhy hwyr.'

'Rhy hwyr?' meddai Fel. 'Pam?'

'**Aha!**' atebodd Henri, a tharo'i drwyn â blaen ei fys.

'Henri!' meddai Fel yn chwyrn.

Chwarddodd Henri. 'Daeth ffans Eth i mewn . . .'

'Ffans Eth?' gwichiodd Fel ar ei draws.

'Ie, ffans Eth,' meddai Henri. 'Roedd Twmcyn yn un ohonyn nhw.'

'Twmcyn?' Cofiodd Fel fod Twmcyn wedi bod yn curo'n gyffrous ar ddrws ei sied, a theimlodd ias oer yn rhedeg i lawr ei chefn.

'Daethon nhw i mewn i'r siop a phrynu pob potel o sôs oedd ar y silffoedd,' meddai Henri. 'Sôs brown. Sôs coch. Sôs melyn. Sôs oren. Pob un potel sôs oedd yn y siop, a phob un oedd yn y stordy hefyd. Fe lwython nhw'r cyfan i fan las, ac mae honno erbyn hyn ar ei ffordd i Gors Eth.'

'Ond pam?' sibrydodd Fel mewn braw.

'Achos bod Eth eisiau sôs,' meddai Henri. 'Roedd hi wedi anfon llythyr at Dexter Dolffin yn gofyn am sôs. Wyddet ti ddim?'

Ysgydwodd Fel ei phen. Allai hi ddim credu'i chlustiau. Doedd Eth Huws BYTH yn sgrifennu llythyron. Dim e-byst, hyd yn oed. Doedd gan y gors-snorclwraig fyd-enwog ddim amser i sgrifennu. Roedd hi'n ymarfer bob munud o'r dydd yng nghanol mwd y gors. Os oedd hi wedi stopio i anfon neges at Dexter, rhaid bod rhywbeth mawr o'i le.

Tybed oedd Eth yn teimlo'n wan ar ôl ymarfer cymaint, ac eisiau potelaid o sôs i'w chryfhau?

Neu oedd hi am rwbio sôs ar ei thraed, am fod ei ffliperi'n gwasgu?

'**Oooooo!**' Teimlai Fel yn flin efo hi'i hun. Hi oedd un o ffans mwyaf Eth Huws, a byddai wedi ei ystyried yn fraint cael prynu sôs i'w harwres. Dyna pam oedd Twmcyn wedi galw arni, mae'n rhaid. Ond yn lle gwrando, roedd hi wedi rhoi'i dwylo dros ei chlustiau a gweiddi,

'**Ooooooo!**' griddfanodd Fel.

'Paid â phoeni, Fel,' meddai Henri'n garedig. 'Mae Eth yn mynd i gael llond fan o sôs. Mi fydd hi'n berffaith iawn.'

'**Mm**,' meddai Fel. Ond mi *oedd* hi'n poeni. Roedd hi'n poeni'n arw.

Ar ôl talu am y bwyd yn y troli llwythog, a threfnu i'r siop ddanfon y bwyd i'r tŷ, fe redodd Fel am adre nerth ei thraed.

Heeeeeeelp!

Roedd Mam, Dad, Heilyn a Hopcyn wedi cyrraedd adre, a'r car yn sefyll o flaen y tŷ. Ond wnaeth Fel ddim aros i ddweud helô wrthyn nhw. Yn hytrach, rhedodd yn syth drws nesa a chanu cloch drws ffrynt Twmcyn.

Dim ateb.

Agorodd Fel y blwch llythyron. 'Twmcyn!' llefodd yn dorcalonnus. Gallai glywed sŵn cyfrifiadur yn clecian yn stafell Twmcyn. 'Twmcyn!' llefodd eto.

'Does neb i mewn,' atebodd Twmcyn mewn llais sychlyd.

'O, Twmcyn!' llefodd Fel. 'Dwi mor sori.'

Be? Roedd Twmcyn yn methu credu'i glustiau. Cerddodd i ben y

grisiau. 'Be ddwedest ti, Fel?' gofynnodd.

'So-o-o-ori,' meddai Fel mewn llais bach crynedig.

Waw! Fel yn dweud sori! Dyna ddiwrnod rhyfedd yw hwn, meddyliodd Twmcyn, a brysio i agor y drws. Yn gyntaf – am sioc! – mae Eth Huws yn sgrifennu llythyr, a nawr – dwbwl sioc! – mae Fel yn dweud sori. Gwthiodd Twmcyn y drws led y pen ar agor, a gwichian mewn braw wrth i Fel neidio i mewn a chydio'n dynn yn ei fraich.

'Dwed bopeth wrtha i,' erfyniodd Fel.

'Popeth?' meddai Twmcyn yn syn. 'Pa bopeth?'

'Popeth am Eth, y twpsyn!' llefodd Fel.

'**O**.'

'A'r sôs!'

'**O**.' Gwenodd Twmcyn a chau'r drws. 'Wel,' meddai'n falch, 'tua awr yn ôl fe ges i neges destun gan Dexter Dolffin.'

'Pam na ches i un?' gwichiodd Fel.

'Wyt ti wedi edrych ar sgrin dy ffôn?' gofynnodd Twmcyn.

'O, nac ydw,' cyfaddefodd Fel. Roedd hi wedi diffodd ei ffôn, rhag i neb dorri ar ei thraws pan oedd hi'n gwneud gwaith pwysig.

'Roedd Dexter wedi cael llythyr oddi wrth Eth,' meddai Twmcyn a'i lygaid yn fawr a serennog.

'**Waw!**' sibrydodd Fel.

'Roedd y llythyr wedi disgyn i fwd y gors,' meddai Twmcyn, 'felly pan agorodd Dexter yr amlen, roedd pob gair ond un wedi'i olchi i ffwrdd. "Sôs," oedd y gair hwnnw, felly fe decstiodd Dexter aelodau Clwb Ffans Eth a gofyn i bawb wario'u harian poced ar botelaid o sôs yr un i Eth. Doedden ni ddim yn gwybod pa fath o sôs, na faint o sôs oedd hi eisiau, felly fe brynon ni bopeth oedd yn y siop. Dodon ni'r cyfan yn fan Dexter, ac mae honno bellach ar ei ffordd i Gors Eth.'

'**O**,' meddai Fel.

'Felly 'sdim rhaid i ti boeni,' meddai Twmcyn yn llon. 'Mae popeth yn iawn.'

'Ydy e?' gofynnodd Fel yn ofalus. 'Soniodd Eth ddim pam oedd hi eisiau'r sôs, do fe?'

'Do, mwy na thebyg,' atebodd Twmcyn. 'Ond, fel dwedes i, allai Dexter ddim darllen y llythyr o achos y mwd.'

'Hm,' meddai Fel. Doedd hi ddim yn hapus o gwbl. Roedd y peth mor od. Pam byddai Eth Huws eisiau sôs? Roedd hi ar fin gofyn y cwestiwn i Twmcyn, pan glywodd hi wich uchel yn dod o'r drws nesa.

Llais Mam!

Rhedodd Fel am y drws ffrynt. Tra oedd hi'n siarad â Twmcyn, roedd fan y Siop Fawr wedi parcio o flaen ei chartre, ac roedd dau ddyn cyhyrog yn cario bocsys mawr o fwyd maethlon drwy'r gât. O'u blaen safai Mam a'i breichiau ar led, yn ceisio'u rhwystro.

'Ry'ch chi yn y tŷ anghywir! Dwi ddim wedi archebu'r holl fwyd 'ma,' llefodd Mam.

'Mae'n iawn, Mam. *Fi* sy wedi archebu'r bwyd *ac* wedi talu amdano fe,' galwodd Fel, gan redeg tuag ati. 'Diolch yn fawr!' meddai wrth y dynion. 'Gadewch y bocsys yn y pasej, os gwelwch yn dda.'

'Beth yn y byd sy wedi codi yn dy ben di, Fel?' gofynnodd Mam.

'Fe eglura i wrthoch chi nawr,' meddai Fel. 'Ble mae Dad?'

Roedd hi wedi sôn wrth Mam a Dad fisoedd yn ôl ei bod hi'n bwriadu paratoi bwyd i'r Cogs. Doedd y ddau ddim yn hapus ynghylch y syniad, ond roedden nhw wedi addo ei helpu.

'D . . . Dad?' meddai Mam a gwichian wrth i foronen hedfan drwy'r drws. Roedd Heilyn a Hopcyn wedi dod o hyd i'r bocsys mawr yn llawn o fwyd, ac wedi cripian i mewn iddyn nhw.

Roedd y dynion bellach yn dianc yn ôl i'w fan a sbrowts a moron yn hedfan ar eu holau.

'Sori!' galwodd Fel ar y dynion, a rhedeg i'r

tŷ i achub y bwyd. 'Dad!' gwaeddodd. 'Ble mae e, Mam? Pam nad yw e'n dod i helpu?'

'Mae dy dad ar ei ffordd i Gors Eth,' atebodd Mam.

'**Y?!**' Yn ei braw fe ollyngodd Fel un o'i brodyr bach ar ben pentwr o domatos gan eu troi'n bentwr o slwj coch. 'Pam mae Dad wedi mynd i Gors Eth?' gwichiodd.

Atebodd Mam ddim. Roedd hi'n rhy brysur yn achub pecyn o basta o geg Hopcyn. Ochneidiodd Mam wrth i ddegau o ddarnau o basta siâp cregyn dasgu dros y lle. Sgidiodd Hopcyn dros y pasta wrth geisio dianc o freichiau ei fam, a disgyn ar ben amlen frown fochaidd.

'**Ych! Cas!**' gwaeddodd Mam, gan neidio dros y bocsys bwyd. 'Paid â chyffwrdd!' gwaeddodd, a rhwygo'r amlen o geg Hopcyn.

Dechreuodd Hopcyn nadu ac ymunodd Heilyn yn y sŵn. Gwaeddodd Fel yn uwch na'r ddau, 'MAM! PAM

MAE DAD WEDI MYND I GORS ETH?'

Yn lle ateb fe wthiodd Mam yr amlen frown fochaidd i'w llaw. Roedd Hopcyn wedi sugno cornel yr amlen ac o'r cornel gwlyb hwnnw roedd arogl yn codi. Arogl pysgod a slywod, brogaod, traed hwyaid . . . a GOGLS!

Unwaith eto teimlodd Fel ias oer yn rhedeg fel rhaeadr Niagara i lawr ei chefn. Trodd yr amlen wyneb i waered a gweld y gair 'pry-fardd'. Roedd rhywun wedi croesi'r 'y' allan a rhoi 'i' yn ei lle.

'O ble daeth y llythyr?' gofynnodd.

'Roedd e'n gorwedd ar lawr y pasej pan ddaethon ni adre,' atebodd Mam. 'Gweneira ddaeth ag e yma. Roedd hi wedi gadael neges i dy dad. *Oddi wrth Eth Huws i ti mae hwn. Mae'r gair 'prifardd' ar y cefn. Hwyl, Gweneira.* Tynnodd dy dad y llythyr o'r amlen, ond allai e ddim darllen gair ohono o achos y mwd. Penderfynodd fynd yn syth i Gors Eth, gan feddwl bod Eth eisiau iddo fe sgrifennu pennill. Mae e wrth ei fodd!'

Ddwedodd Fel 'run gair. Teimlai fel petai hi wedi llyncu cannoedd o bili-palod, a'r rheiny'n cicio a dawnsio yn ei bol. Dau lythyr gan Eth mewn un diwrnod. Dau lythyr?! Doedd y peth ddim yn bosib . . .

Oedd e?

Am y tro, doedd gan Fel ddim amser i boeni am fwyd y Cogs. Gwthiodd y bocsys i'r cwpwrdd dan stâr a chau'r drws, ac yna'n ôl â hi at Twmcyn â'r llythyr yn ei llaw.

Pan agorodd Twmcyn y drws, aeth Fel yn syth i'r gegin a gollwng y llythyr ar y ford.

Syllodd Twmcyn ar y llythyr mewn rhyfeddod. 'Llythyr Eth!' sibrydodd yn wên o glust i glust. 'Gest ti fenthyg hwnna gan Dexter Dolffin?'

'Naddo,' meddai Fel yn dawel. 'Nid llythyr i Dexter yw hwn. Llythyr i Dad yw e.'

Diflannodd gwên Twmcyn, a lledodd golwg o sioc enfawr dros ei wyneb.

'Ydy Eth wedi sgrifennu at Rhoj hefyd?' gwichiodd.

'Ydy, mae'n debyg,' mwmianodd Fel.

'Be mae hi'n ddweud yn y llythyr?' gofynnodd Twmcyn.

'Mae pob gair ond un wedi diflannu,' meddai Fel. Trodd yr amlen wyneb i waered a dangos y gair hwnnw i Twmcyn.

'Prifardd,' sibrydodd Twmcyn, a'i lygaid fel soseri.

'Neu pry-fardd,' meddai Fel.

'Dyw Eth ddim yn un dda am sillafu,' meddai Twmcyn.

'Dyw Eth ddim yn un dda am sgrifennu llythyron, felly pam byddai hi'n sgrifennu dau mewn un diwrnod? Dyw'r peth ddim yn gwneud synnwyr.'

Agorodd Fel amlen ei thad a thynnu dalen o bapur allan. Daliodd y papur o flaen y ffenest fel bod yr haul yn disgleirio drwyddo. Ond er iddi graffu a chraffu, allai hi ddim darllen 'run gair. 'Pam byddai Eth eisiau sôs a phrifardd?' gofynnodd i Twmcyn.

Meddyliodd Twmcyn yn ddwys. 'Falle'i bod hi eisiau i Rhoj ddarllen barddoniaeth iddi,' meddai o'r diwedd, 'a'i bod hi'n bwriadu trefnu barbeciw. Byrgyrs a sosejys . . . a lot o sôs.'

'Rwtsh!' meddai Fel yn swta.

'Ie,' cytunodd Twmcyn. Roedd e'n syniad hollol ddwl. Unig ddiddordeb Eth oedd cors-snorclo. Doedd ganddi ddim amser i bethau dibwys fel barddoniaeth a barbeciws.

'Dwi'n poeni,' meddai Fel.

Nodiodd Twmcyn. Erbyn meddwl, roedd yntau'n poeni hefyd. Cyn i Fel gyrraedd roedd e'n teimlo'n gyffrous ac yn methu stopio gwenu, ond nawr roedd 'na gosi bach rhyfedd yn ei fol.

'Dwi'n mynd i ofyn i Dexter am gael gweld ei lythyr e,' meddai Fel.

'Mae Dexter ar ei ffordd i Gors Eth â llond fan o sôs,' meddai Twmcyn. 'Ond fe weles i'r llythyr. Dangosodd Dexter e i fi yn y siop.'

'A be yn union oedd ynddo fe?' gofynnodd Fel.

'Dim ond y gair "sôs",' meddai Twmcyn. 'Doedd Eth ddim yn gallu sillafu hwnnw chwaith,' ychwanegodd â gwên gam. 'Roedd hi wedi anghofio'r to bach.'

Teimlodd Fel y rhaeadr Niagara'n ailddechrau llifo i lawr ei chefn.

'T . . . Twmcyn,' crawciodd. 'Dangos i fi'n union beth welest ti.'

'Iawn,' meddai Twmcyn, gan estyn beiro a phad nodiadau o sil y ffenest. Ar y pad sgrifennodd mewn llythrennau bras 'SOS'. Erbyn iddo orffen ffurfio'r 'S' olaf, roedd ei law yn crynu. '***O-o!***' sibrydodd.

'**O-o!**' sibrydodd Fel. Syllodd y ddau ar y papur, ac yna ar ei gilydd, a'u llygaid bron â neidio o'u pennau.

'S.O.S!' gwaeddon nhw ag un llais 'S.O.S!' Nid 'sôs' oedd Eth eisiau . . . ond HELP!

Fel a'r 'fel'

Cipiodd Twmcyn ei ffôn o'i boced a rhoi galwad i Dexter Dolffin. Dim ateb. Doedd dim signal yng Nghors Eth. Ceisiodd Fel ffonio'i thad i ddweud wrtho am droi'n ôl ar unwaith. Os oedd Eth mewn helynt, roedd hi'n debygol o fod angen meddyg neu blismon neu drwsiwr gogls. Doedd bosib ei bod hi angen prifardd?

Ond chafodd Fel ddim ateb chwaith.

'Bydd raid i ni fynd draw i Gors Eth,' gwaeddodd Fel a Twmcyn ar draws ei gilydd, a chyn pen dim roedd y ddau'n rhedeg fel y gwynt i nôl eu beiciau.

Sylwaist ti ar y tri gair sy'n dilyn 'rhedeg' yn y frawddeg ddiwethaf? 'Fel y gwynt'. Tri gair bach digon syml a di-nod. Ond, fan hyn, mae'n rhaid i fi egluro rhywbeth rhyfedd iawn i ti ynglŷn â Fel.

Rhywbeth Rhyfedd Iawn

Pan oedd Fel yn fabi bach, fe wnaeth rhywun fwrw swyn arni. O ganlyniad, os ydy Fel yn clywed cymhariaeth sy'n dechrau â'r gair '**fel**', mae hi'n newid ei siâp. Er enghraifft, os dwedi di wrthi, '**Rwyt ti fel tomato**', mae hi'n troi'n domato am ychydig eiliadau. Os dwedi di, '**Rwyt ti fel eliffant**', mae hi'n troi'n eliffant go iawn.

Mae hyn, wrth gwrs, yn beth peryglus iawn. Petai hi'n troi'n domato fe allai gael ei bwyta cyn cael cyfle i droi'n ôl i'w siâp arferol. Petai hi'n troi'n eliffant fe allai faglu, disgyn ar dy ben a'th wasgu'n fflat.

Drwy lwc, mae gan Fel blygiau arbennig yn ei chlustiau. (Os edrychi di'n fanwl ar y llun ohoni, fe weli di nhw.) Mae'r plygiau hyn yn ei rhwystro rhag clywed y gair '**fel**', a chyn belled â bod y plygiau yn eu lle ac yn gweithio, mae hi'n hollol ddiogel.

O, ie. Un peth arall:

Y person fwrodd y swyn ar Fel oedd **Tal Slip, pennaeth y Cogs!!**

Dyna i ti reswm arall pam bod Fel yn bwriadu bwydo'r Cogs. Roedd hi'n gobeithio y byddai'r bwyd maethlon yn gwneud Tal Slip yn ddigon caredig i symud y swyn oddi arni ryw ddiwrnod.

Yn anffodus, doedd y diwrnod hwnnw ddim wedi cyrraedd eto. Felly, roedd Eth mewn perygl, roedd Dad mewn perygl . . . ac roedd Fel a Twmcyn mewn perygl hefyd, wrth iddyn nhw anelu ar ras am Gors Eth.

I'r Awyr Las

Ar lannau'r gors, roedd y Prifardd Rhoj mor hapus â'r gog. Roedd e newydd barcio'i gar ar lain o fwsog, ac yn edrych ymlaen yn arw at gwrdd â'r gors-snorclwraig fyd-enwog oedd wedi anfon llythyr ato. Yn ddistaw bach, doedd Rhoj ddim yn un o ffans Eth Huws.

'Mae Eth wedi cael gormod o fwd yn ei chlustiau,' meddai Rhoj wrtho'i hun, 'ac mae hynny wedi'i gwneud hi braidd yn od a hunanol. Gyda lwc, fe fydd hi'n berson llawer mwy hapus ac annwyl ar ôl cael llond clust o farddoniaeth.'

Cyn gadael y tŷ, roedd y prifardd wedi rhoi copïau o hanner dwsin o'i gerddi mwyaf hardd a hapus mewn ffeil binc ar sedd flaen y car. Enw un o'r cerddi oedd *I'r Awyr Las*. Doedd Eth bron byth yn gweld yr awyr las, gan fod ei llygaid bob amser dan y dŵr. 'Dwi'n siŵr y gwnaiff hi godi'i thrwyn ar ôl clywed fy ngherdd i,' meddai Rhoj yn llon.

Roedd Rhoj wrthi'n twtio'i wallt a'i fwstásh yn nrych y car, pan glywodd e sŵn yn atsain dros y gors.

Y?

Syllodd Rhoj drwy'r ffenest flaen, ac ar unwaith fe ddiflannodd y wên ac aeth ei geg yn gam. Ym mhen pellaf Cors Eth roedd fan las, â'r llythrennau D.D. a llun dolffin ar ei hochr. Roedd drysau cefn y fan ar agor a rhywun yn dadlwytho pentwr o focsys allan ohoni. '**Clec, clec, clec. Ratl, ratl, ratl**,' canodd y bocsys wrth ddisgyn ar y llwybr yn ymyl y gors.

'**O, na**,' llefodd Rhoj. Roedd e wedi cymryd yn ganiataol mai fe fyddai'r unig brifardd ar lannau Cors Eth, ond yn amlwg roedd Eth wedi gwahodd prifardd arall hefyd. Ac roedd hwnnw wedi dod â LLOND BOCSYS o farddoniaeth!

'**O na**,' llefodd Rhoj eto, gan edrych ar ei gasgliad bach pathetig o gerddi. Hyd yn oed petai e wedi casglu pob cerdd yn y tŷ, fyddai ganddo ddim chwarter digon i lenwi un o'r bocsys mawr oedd gan berchennog y fan. Dim ond digon o gerddi i lenwi bocs *Rice Krispies 500g* oedd gan Rhoj druan.

'Gwell i fi fynd adre,' meddai'n drist. 'Alla i byth gystadlu â'r prifardd hwn, pwy bynnag yw e.'

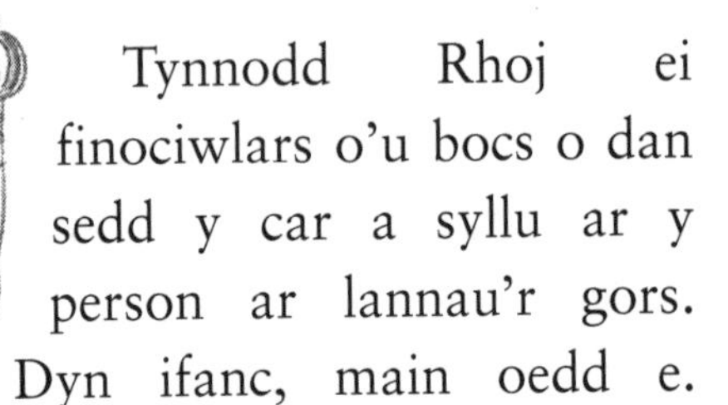

Tynnodd Rhoj ei finociwlars o'u bocs o dan sedd y car a syllu ar y person ar lannau'r gors. Dyn ifanc, main oedd e. Roedd Rhoj yn meddwl ei fod wedi ei weld o'r blaen yn rhywle.

Tra oedd Rhoj yn syllu, fe gaeodd y dyn ifanc ddrws ei fan a mynd i sefyll ar lan y dŵr, ei ddwylo wedi'u cwpanu am ei geg. 'ETH!' bloeddiodd, gan blygu i edrych ar ddyfroedd brown y gors.

Edrychodd Rhoj hefyd. Disgwyliai weld pen snorclog yn codi o'r dŵr, a dwy droed ffliperog yn gwibio'n awchus tuag at y bocsys barddoniaeth.

Ond heblaw am un pysgodyn yn neidio, doedd dim crych yn y dŵr.

'ETH!' gwaeddodd y dyn ifanc eto.

Plygodd nes bod ei drwyn bron yn cyffwrdd â'r dŵr.

'ETHTHTHTH!' bloeddiodd, ond ddaeth neb i'r golwg.

'Gwell i fi fynd draw i'w helpu i weiddi,' penderfynodd Rhoj, a phlygu i roi'r binociwlars yn ôl o dan y sedd. Wrth wneud, clywodd sgrech fain.

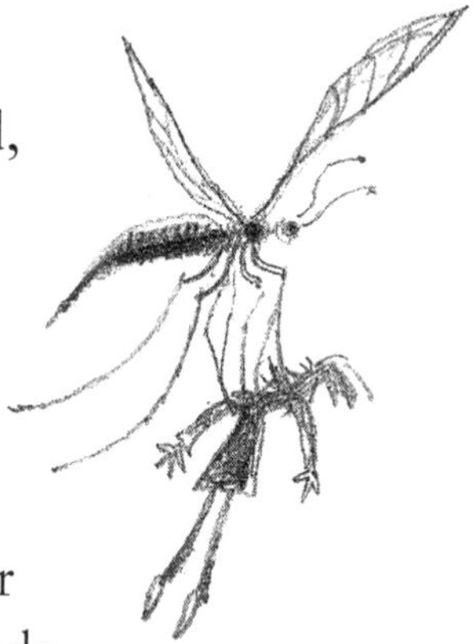

'**Waw!**' gwaeddodd Rhoj.

Roedd y prifardd ifanc wedi diflannu oddi ar y llwybr. Bellach, roedd e'n sownd wrth farcud enfawr ac yn hofran yn yr awyr! Roedd e'n amlwg yn bwriadu paragleidio dros y gors i chwilio am Eth!

'**Waw!**' rhyfeddodd Rhoj eto wrth sylwi bod y prifardd wedi gadael ei focsys barddoniaeth ar lan y gors.

Edrychodd Rhoj o'i gwmpas yn ofalus cyn sleifio o'r car â'i ffeil yn ei law. **Fflip-fflop-fflip-fflop, sgwish-sgwash-sgwish-sgwash**, meddai ei sandalau wrth iddo frysio ar hyd y llwybr mwdlyd. Roedd llygaid Rhoj wedi'u hoelio ar y bocsys ar ymyl y gors, a syniad drygionus yn corddi yn ei ben.

Hwn oedd y tro cyntaf yn ei fywyd i Rhoj gael syniad drygionus. Roedd Rhonabwy O'Landaf Jones yn bostmon arbennig o serchog a chydwybodol. Bob dydd roedd e'n dweud 'Helô' wrth bawb, a hyd yn oed yn gwenu'n garedig ar gŵn cas. A doedd e erioed – ERIOED! – wedi agor un o'r llythyron yn ei fag a sbecian ar y cynnwys. Doedd e ddim hyd yn oed wedi darllen neges ar gefn cerdyn post, na thrio dal amlen at y golau i weld a oedd y perchennog wedi ennill y Loteri ai peidio. Oedd, roedd Rhoj yn bostmon cwbl onest a chydwybodol.

Ond roedd Rhoj hefyd yn fardd. Ac weithiau mae'n anodd i fardd weld bocs o farddoniaeth yn gorwedd ar lan cors heb fynd ato i gael sbec. Felly, fe gripiodd Rhoj tuag at y pentwr bocsys, estyn ei law tuag at y bocs cyntaf, a'i agor.

'**Y?!**' gwichiodd.

Agorodd yr ail focs.

'**Y? Y?**' gwaeddodd.

Agorodd y trydydd bocs.

'**Y? Y? Y?**' crawciodd. 'Mae hwn eto'n llawn o s . . .'

Ond cyn i Rhoj ddweud y gair 'sôs', suodd cysgod du uwch ei ben. Estynnodd chwe choes fain tuag ato, a chyn pen dim roedd Rhonabwy O'Landaf Jones yn codi i'r awyr las uwchlaw Cors Eth.

Cwmwl Du

Roedd Fel a Twmcyn yn dal i bedlo fel y gwynt, a'u trwynau bron â chyffwrdd â chyrn eu beiciau. Drwy niwl o chwys gwelodd Fel y gors yn dod i'r golwg, a char gwyrdd wedi'i barcio ar lain o fwsog.

Anelodd Fel amdano a brecio o fewn trwch blewyn. Roedd y car yn wag. Edrychodd Fel o'i chwmpas. 'Ble mae Dad?' gwaeddodd yn wyllt.

Doedd dim sôn am Dad ar lan y gors. Doedd dim sôn amdano ar y gors chwaith, ond roedd 'na gysgod du yn symud dros y dŵr.

'**Waw!**' gwaeddodd Twmcyn yn sydyn. 'Dwi'n gweld Rhoj!'

'Ble?' gwaeddodd Fel yn wyllt.

'Lan fan'na!' gwaeddodd Twmcyn. 'Mae e'n paragleidio!'

'**Y?**' Allai Fel ddim credu'r fath beth! Doedd Dad ddim yn hoff iawn o chwaraeon o unrhyw fath, dim hyd yn oed cors-snorclo. Syllodd Fel i'r awyr. 'D . . . Dad!' gwichiodd.

Ie, Rhoj oedd e. Roedd hi'n nabod y ffeil farddoniaeth yn ei law. **'Waw!'** ebychodd Fel yn falch. I feddwl bod Dad yn paragleidio! Doedd e ddim yn baragleidiwr da, mae'n wir. Roedd e'n rhy gyffrous, yn strancio a chicio'i goesau'n wyllt. 'Ara deg nawr, Dad!' gwaeddodd Fel, ond wrth gwrs allai Dad ddim clywed. Fe giciodd yn wylltach fyth, nes i'r ffeil binc ddisgyn o'i law a glanio ar fwd y gors.

Taflodd Fel ei beic i'r llawr a brysio i agor drws y car. Roedd Rhoj, fel arfer, wedi anghofio'i gloi. Cipiodd y binociwlars o dan y sedd a throi i edrych am y ffeil. Drwy lwc, roedd hi wedi glanio ger y llwybr o gerrig gwynion oedd yn arwain at yr ynys fechan yng nghanol Cors Eth. 'Fydda i fawr o dro yn achub y ffeil,' meddai Fel wrth Twmcyn. Cododd ei bys bawd ar Dad i ddangos bod popeth yn iawn, ac edrychodd drwy'r binociwlars i weld a oedd e'n gwenu.

'A!' Aeth ei hwyneb yn wyn fel y galchen. Drwy'r

binociwlars roedd hi wedi gweld llygad ENFAWR yn syllu'n ôl arni.

'Be wyt ti wedi'i weld?' gwichiodd Twmcyn yn gyffrous.

Ddwedodd Fel 'run gair. Allai hi ddim. Prin y gallai ddal ei gafael yn y binociwlars, gan fod ei breichiau'n crynu. 'Be wyt ti wedi'i weld?' gofynnodd Twmcyn eto, gan neidio lan a lawr.

'P . . .'

'O, y paragleider,' snwffiodd Twmcyn.

'Nage, pryfyn,' meddai Fel a'i llais yn codi'n wich.

'Pryfyn?' meddai Twmcyn. 'Pryf-yn!' Crychodd ei drwyn. Doedd pryfed ddim yn gyffrous. Roedd cannoedd ohonyn nhw'n arfer hofran dros y gors – er, erbyn meddwl, doedd dim sôn amdanyn nhw heddiw. 'Pryfyn!' meddai Twmcyn eto, gan sylwi bod llygaid Fel bron â neidio o'i phen. 'Ers pryd mae gen ti ofn pryfyn?'

'Ers nawr,' crawciodd Fel a gwthio'r binociwlars i'w law.

Syllodd Twmcyn drwy'r binociwlars a gweld Rhoj yn cicio a strancio. Cododd y binociwlars yn uwch. '**IIIIICH!**' Rhwbiodd ei lygaid ac edrych unwaith eto. '**IIIIIICH!**' Trodd at Fel a'i lygaid yn llawn arswyd. 'Nid paragleider yw hwnna!' gwichiodd.

Ysgydwodd Fel ei phen. Na, nid paragleider oedd e. 'Does gan baragleider ddim llygaid anferth,' meddai'n herciog. 'Na chwe choes . . . **AAAAAAAA!**' Roedd hi newydd sylweddoli bod y chwe choes yn gafael yn dynn am ei thad. 'Twmcyn!' gwaeddodd. 'Mae Dad wedi cael ei gipio gan bryfyn enfawr!'

'**O, na!**' ebychodd Twmcyn yn grynedig.

'Rhaid i ni fynd i'w achub e!' llefodd Fel.

'Rhaid i ni fynd ar ras,' meddai Twmcyn, a'i galon yn suddo i lawr i fodiau'i draed, 'achos . . .'

'Achos be?' gwichiodd Fel.

Llyncodd Twmcyn yn galed. Ddylai e ddim fod wedi dweud gair. 'Ach . . . achos,' mwmianodd, 'dwi ddim yn meddwl bod

Eth wedi anfon llythyr yn gwahodd dy dad i'r gors. Dwi'n meddwl mai ei rybuddio i gadw draw oedd hi, achos mae dy dad yn fardd, a'r creadur sy wedi'i ddal e yw'r . . .'

'. . . yw'r pry-fardd!' sibrydodd Fel a'i llais yn crynu. 'Felly doedd Eth ddim wedi camsillafu'r gair ar gefn yr amlen?'

Ysgydwodd Twmcyn ei ben.

Syllodd Fel i'r awyr ac yna ar Twmcyn. 'Wyt ti'n meddwl mai pryfyn sy'n sgrifennu barddoniaeth yw pry-fardd?' gofynnodd mewn llais bach, bach.

Crychodd wyneb Twmcyn. Pryfyn yn sgrifennu barddoniaeth? Twt lol – am syniad twp! Fel arfer, fe fyddai wedi chwerthin lond ei fol am ben y fath beth. Ond heddiw doedd dim awydd chwerthin arno. Ysgydwodd ei ben yn araf.

'O, Twmcyn!' sibrydodd Fel. 'Dwyt ti ddim yn meddwl mai pryfyn sy'n bwyta beirdd yw pry-fardd, wyt ti?'

Oedd, roedd Twmcyn *yn* meddwl hynny, ond roedd arno ofn mentro dweud wrth Fel.

Doedd dim rhaid, ta beth. Roedd Fel wedi deall. Â sgrech annaearol, fe luchiodd y binociwlars i mewn i'r car a rhedeg nerth ei thraed tuag at y llwybr o gerrig gwynion oedd yn croesi'r gors.

Snorcel! Stop, Fel!

Roedd y llwybr yn arwain tuag at ynys y Cogs, a'r pryfyn enfawr yn anelu at yr un cyfeiriad. Bellach, roedd e'n hofran uwchben coed yr ynys ac yn paratoi i lanio.

'Fel! Fel!' bloeddiodd Twmcyn. 'Stop! Stop! Alli di ddim rhuthro fel tarw gwyllt i ynys y Cogs! Rhaid i ni feddwl am gynllun.'

Ond wnaeth Fel ddim stopio. Doedd dim ots am y Cogs. Doedd dim ots am neb. Roedd hi'n mynd i redeg dros y cerrig gwynion a thrio achub Dad. A dyna'n union be fyddai hi wedi'i wneud, oni bai i Twmcyn weld rhywbeth yn gwibio drwy'r dŵr.

'Snorcel!' gwaeddodd Twmcyn. 'Stop, Fel! Mae Eth yn mynd heibio.'

Chymerodd Fel ddim sylw. Fel arfer, fe fyddai wedi aros a defnyddio'i ffôn i dynnu llun o'i harwres. Ond roedd achub Dad yn bwysicach na chors-snorclo, hyd yn oed. Rhedodd Fel yn ei blaen.

'Fel! Fel!' gwaeddodd Twmcyn eto. 'Aros! Falle gall Eth ein helpu ni.'

Y tro hwn fe arafodd Fel ryw ychydig.

'Sut?' galwodd dros ei hysgwydd.

'Achos fe anfonodd hi lythyr at dy dad i'w rybuddio,' meddai Twmcyn. 'Rhaid i ni drio siarad gyda hi. Falle bod ganddi wybodaeth bwysig am y pry-fardd, neu'n gwybod ble mae e'n byw.'

'**Yyyyyy!**' gwaeddodd Fel, a sefyll yn stond. Ble oedd pryfed yn byw fel arfer? Mewn tomen o faw? '**Yyyyyy!**' Crynodd Fel wrth feddwl am ei thad druan yn disgyn i'r slwtsh. 'Iawn,' meddai. 'Fe stopiwn ni Eth a gofyn iddi.'

'S . . . sut yn union wnawn ni hynny?' gwichiodd Twmcyn. Pan oedd y gors-snorclwraig yn ymarfer, doedd hi'n cymryd dim sylw o neb.

'Fel hyn,' meddai Fel gan gerdded yn benderfynol dros y cerrig gwynion tuag at y ffeil farddoniaeth. Cododd y ffeil o'r mwd a'i thaflu'n syth i gyfeiriad Eth.

Nawr, falle dy fod yn gofyn i ti dy hun, 'Sut mae ffeil o farddoniaeth yn mynd i stopio cors-snorclwraig fyd-enwog?' A falle dy fod ti'n ateb, 'O! Dwi'n deall. Mae Eth yn hoffi barddoniaeth. Pan welith hi'r ffeil, fe fydd hi'n aros i ddarllen y cerddi.' Anghywir! Dyw Eth ddim wedi darllen na gwrando ar farddoniaeth er pan oedd hi'n blentyn. Pan oedd hi'n ferch fach, fe brynodd Mr a Mrs Huws record o hwiangerddi iddi ar ei phen-blwydd. Ond cyn iddi fwyta'i chacen, hyd yn oed, roedd Eth wedi torri'r record yn ddarnau. Mae hi'n dal i dorri recordiau. Dyna pam mae hi'n gors-snorclwraig fyd-enwog.

Roedd y gors-snorclwraig fyd-enwog wedi troi ym mhen pella'r gors a bellach yn gwibio'n ôl ar gyflymder o 60 milltir yr awr. Wrth nesáu at y llwybr o gerrig gwynion, fe gyflymodd i 68 milltir. Ac yna, mor sydyn nes bod mwg yn codi o'r gors, stopiodd y snorcel yn stond. Cododd pen snorclog o'r dŵr a gwaeddodd llais cynddeiriog, '**YBL-YBL-YBL!**' (DIM SBWRIEL YN Y GORS HON!)

Doedd barddoniaeth Rhoj ddim yn sbwriel, wrth gwrs, ond wyddai Eth mo hynny. Roedd hi'n CASÁU sbwriel â'i holl galon. Roedd sbwriel yn gwneud niwed i gors-snorclwyr ac yn eu rhwystro rhag torri recordiau. Cydiodd yn y ffeil a'i lluchio nerth ei braich i gyfeiriad y lan.

Wrth i'r ffeil hedfan uwch ei ben, neidiodd Twmcyn fel cangarŵ a'i dal. Yna fe drodd fel top a lluchio'r ffeil yn ôl i'r gors.

Roedd Eth eisoes wedi plymio'i phen yn ôl i mewn i'r mwd, ond pan glywodd hi'r '**Plop!**' fe neidiodd o'r dŵr unwaith eto. '**YBL-YBLYBLYBLYBL!**' sgrechiodd, sef 'Y MWNCI DIGYWILYDD! AROS I FI GAEL RHOI CIC YN DY BEN-ÔL DI!'

'Eth!' meddai Twmcyn yn gadarn gan gipio amlen frown, fochaidd o boced Fel a'i chwifio yn yr awyr. 'Ti anfonodd hon, ontefe?'

Tawelodd Eth. Yn ara' bach, suddodd yn ôl i'r dŵr nes bod dim byd ond ei gogls yn y golwg. Ie, hi oedd wedi anfon y llythyr, ond doedd hi ddim yn golygu dweud gair am hynny wrth Fel a Twmcyn.

Cyfrinach Eth a'r rheswm pam

Y diwrnod cynt roedd Eth yn nofio'n hapus braf drwy fwd y gors. Roedd hi wastad yn teimlo'n hapus pan oedd hi'n snorclo, ond ers wythnos neu ddwy roedd hi'n teimlo'n hapus dros ben. Roedd Eth yn hoffi tawelwch. Doedd hi ddim yn hoffi clywed pobl yn gweiddi 'Hwrê!' neu'n curo'u dwylo'n wyllt. Doedd hi ddim yn arbennig o hoff o glywed brogaod yn plopian neu hwyaid yn cwacian. Ac – **ych a fi!** – doedd hi'n sicr ddim yn hoffi clywed pryfed yn suo dros Gors Eth. Roedd eu '**Bssss! Bssss!**' diddiwedd yn creu tonnau bach yn y dŵr a'r rheiny'n arafu'r gors-snorclwraig fyd-enwog.

Ond ers mis bron iawn doedd dim pryfed ar gyfyl y gors. Heb y '**Bssss! Bssss!**' yn creu tonnau, roedd Eth wedi llwyddo i dorri saith record. **Waw!** Ond brynhawn ddoe, pan oedd hi'n paratoi i dorri'r wythfed record, fe ysgydwodd y gors gyfan, a chlywodd Eth y '**BSSSSSSSSSSSSSSSSS!**' uchaf glywodd hi erioed.

Roedd y sŵn yn dod o'r ynys fechan, yng nghanol Cors Eth. 'Y Cogs dwl 'na eto,' meddyliodd Eth, gan godi'i braich o'r dŵr ac ysgwyd ei dwrn mewn tymer. Ar ganol gwneud hynny, fe gydiodd chwe choes yn ei garddwrn, a'i chodi'n grwn o'r gors. Roedd pryfyn enfawr wedi llwyddo i'w dal hi!

Wrth i'r pryfyn hedfan dros yr ynys fechan, tynnodd Eth ei snorcel o'i cheg.

'Rho fi i lawr!' gwaeddodd.

'**Bssss! Bss-bsss!**' atebodd y pryfyn, a'i gollwng ar unwaith.

Plymiodd Eth drwy'r awyr a glanio ar bentwr meddal o bapur sgrifennu ac amlenni yng nghanol y Mynyddoedd Sbwriel ym mhen pella'r ynys. Rholiodd dros y papur a tharo yn erbyn bocsaid o hen feiros.

Erbyn iddi neidio ar ei thraed, roedd y pryfyn

hefyd wedi glanio, ac yn sefyll o'i blaen. 'Rhag dy gywilydd di'n fy stopio i rhag ymarfer!' gwaeddodd Eth i'w wyneb. 'Cer o'r ffordd. Dwi'n mynd yn ôl i Gors Eth.'

'**Bsss**' meddai'r pryfyn, ac estyn un o'i chwe choes ar draws ei llwybr. Doedd Eth ddim yn ofni'r pryfyn – yn ei barn hi roedd e'n edrych fel llo – ond roedd ei goes fel gwifren, ac roedd hi'n poeni y byddai'n rhwygo'i siwt rwber petai hi'n gwthio'i ffordd heibio.

'Cer o'r ffordd!' chwyrnodd eto.

'**Bssss!**' atebodd y pryfyn a gwrthod symud cam.

Plethodd Eth ei breichiau. 'Pam wyt ti wedi 'nghipio i?' gofynnodd yn swta. 'Be sy'n bod?'

'**Bssss,**' meddai'r pryfyn a phwyntio at bentwr o bapur ar lawr.

Bssss? Doedd Eth ddim yn deall gair. 'Wyt ti'n boeth ac eisiau ffan?' gofynnodd, gan godi darn o bapur a'i ysgwyd yn ôl ac ymlaen.

'**Bssssssss!**' llefodd y pryfyn eto, a phwyntio dwy goes arall tuag at y bocs beiros.

Beiros? Papur? Meddyliodd Eth yn galed. Pwy oedd yn defnyddio beiros a phapur? **O, na!**

Edrychodd Eth i fyw llygad y pryfyn. 'Dwyt ti ddim yn fardd, wyt ti?' gofynnodd.

Syllodd y pryfyn arni â'i ddau lygad enfawr, a nodiodd ei ben yn swil.

AAAA! Roedd Eth yn teimlo awydd sgrechian dros y lle. Flynyddoedd yn ôl, pan ddaeth hi i'r gors am y tro cyntaf, roedd pobman yn hyfryd o dawel. Ond, un diwrnod erchyll, fe glywodd y gors-snorclwraig sŵn traed yn rhedeg dros y llwybr o gerrig gwynion. Pan gododd ei phen o'r dŵr, beth welodd hi ond criw o'r bobl mwyaf afiach yn y byd yn symud i fyw ar yr ynys. Y Coginfeirdd oedden nhw. **Ych a fi!** Roedd Eth yn casáu beirdd yn fwy na phryfed, hyd yn oed. Roedden nhw'n gwneud mwy o sŵn. Ar ben hynny, roedden nhw'n coginio bwydydd iychi ac yn taflu hen lestri a sosbanau i fwd y gors.

A nawr, roedd 'na fardd ARALL ar yr ynys. Pry-fardd! Yn amlwg, roedd y Cogs wedi dysgu'r pryfyn sut i farddoni. Yn wahanol i Twmcyn a Fel, doedd Eth yn synnu dim. Yn ei barn hi, roedd beirdd a phryfed mor ddwl â'i gilydd.

Felly, gan dapio'i throed yn ddiamynedd, meddai wrth y pryfyn, 'Dwyt ti ddim yn disgwyl i FI sgrifennu barddoniaeth, wyt ti?'

'**Bssss!**' Nodiodd y pryfyn yn eiddgar, a rhag ofn iddi feddwl am ddianc, fe gamodd yn nes ati ac estyn dwy goes ar draws ei llwybr.

'Cors-snorclwraig ydw i,' chwyrnodd Eth. 'Fe alla i dy ddysgu di i gors-snorclo.' (Doedd hi ddim yn golygu gwneud, wrth gwrs. Doedd hi ddim yn bwriadu gadael i bryfyn di-glem sblasio yng Nghors Eth.)

Doedd y pryfyn ddim eisiau sblasio mewn hen gors chwaith. **Iych!** Ysgydwodd ei ben a phwyntio'n benderfynol at y papur ac yna at y bocs beiros.

Sgyrnygodd Eth mewn tymer. Yn amlwg, doedd y pryfyn ddim yn mynd i adael iddi ddianc nes iddi sgrifennu barddoniaeth. Barddoniaeth? Fi? Does gen i ddim cliw sut i sgrifennu cerddi, meddyliodd Eth. Be wna i? Ac yna fe gafodd syniad. Siawns nad yw'r pryfyn erioed wedi darllen gwaith beirdd mawr Cymru, meddyliodd. Os sgrifenna i ddarn o waith Bardd Plant Cymru, bydd y pryfyn yn meddwl mai 'ngwaith i yw e. Felly, gan wenu'n slei, fe gododd feiro a darn o bapur.

O-o! Stopiodd y beiro cyn cyrraedd y papur. Doedd Eth erioed wedi dysgu hyd yn oed un gerdd gan Fardd Plant Cymru. Na gwaith unrhyw fardd arall, o ran hynny. Doedd hi erioed wedi gwrando ar yr athrawon yn yr ysgol, dim ond breuddwydio am gors-snorclo. Allai hi ddim sgrifennu un gair ar y papur, heb sôn am gerdd gyfan. Pesychodd yn nerfus.

'Edrych 'ma, bryfyn,' meddai. 'Mae hyn yn nonsens llwyr. Os wyt ti eisiau barddoniaeth, pam na ofynni di i'r Cogs?'

Lledodd golwg slei dros lygaid enfawr y pryfyn. Ddwedodd e ddim **hss** na **bss**, ond ysgydwodd ei ben yn gyflym.

'Beth 'te?' snwffiodd Eth.

'**Bss**,' meddai'r pryfyn yn ansicr.

'Wn i be,' sgyrnygodd Eth. 'Fe sgrifenna i lythyr yn gofyn i fardd ddod i'r ynys i roi gwersi i ti. Fydd hynny'n iawn?'

Meddyliodd y pryfyn yn ofalus. O'r diwedd, nodiodd ei ben.

'Iawn 'te,' meddai Eth. 'Symud o'r ffordd i fi gael lle i sgrifennu.'

Pan oedd y pryfyn yn ddigon pell i ffwrdd, fe blygodd Eth dros y papur a'i guddio â'i braich rhag ofn i'r pryfyn sbecian. Y gwir amdani oedd hyn. Doedd Eth ddim yn bwriadu sgrifennu at unrhyw fardd. Roedd hi'n mynd i sgrifennu at Dexter Dolffin, llywydd Clwb Ffans Eth, a gofyn iddo ddod draw ar unwaith i'w hachub. Beth ydy pwynt cael Clwb Ffans os nad i achub pobl fel fi rhag pryfyn enfawr? meddyliodd Eth.

Ar ôl gorffen y llythyr a selio'r amlen, sylweddolodd Eth ei bod hi wedi anghofio gofyn i Dexter ddod â llwyth o stwff lladd pryfed, felly aeth ati ar unwaith i sgrifennu llythyr arall ato. Ar ôl cau'r ail amlen, fe sylweddolodd ei bod hi wedi anghofio dweud pa mor fawr oedd y pry-fardd. Felly, ar gefn yr amlen, fe sgrifennodd: Bydd angen sawl aerosol i ladd y pry-fardd. Mae e'n ENFAWR! Wedyn, fe blygodd y ddwy amlen i siâp awyren a'u lluchio dros y gors, gan obeithio y byddai'r postmon yn dod o hyd iddyn nhw.

Hwrê! Roedd y postmon yn amlwg wedi llwyddo, achos ar ôl treulio noson ddiflas a sych ar yr ynys, o'r diwedd roedd hi wedi gweld Dexter Dolffin yn gyrru at y gors. Yn syth bìn roedd hi wedi anfon y pryfyn draw ato, gan obeithio y byddai Dexter yn ei chwistrellu â'r stwff lladd pryfed. Ond yn lle hynny roedd y ffŵl gwirion wedi gadael i'r pryfyn ei gipio.

Tra oedd y pryfyn yn cario Dexter i'r ynys fechan, roedd Eth wedi dianc nerth ei thraed. Fe gollodd un ffliper ar y ffordd, ond dim ots am hynny. Roedd hi mor falch o weld y gors yn disgleirio o'i blaen. Heb boeni am neb na dim, fe blymiodd ar ei phen i'r dŵr mwdlyd hyfryd, a nofio i ffwrdd yn hapus.

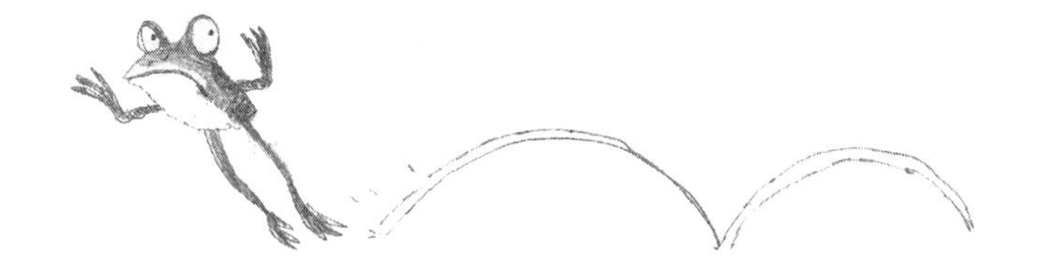

Celwydd Mwdlyd

Erbyn hyn, fodd bynnag, roedd Eth yn teimlo awydd sgrechian yn uwch nag erioed. Roedd hi wedi colli deg munud o ymarfer yn barod – ac wedi gorfod nôl ffliper sbâr – a nawr dyma ddau blentyn digywilydd yn gwastraffu rhagor o'i hamser. Nid yn unig roedden nhw wedi taflu sbwriel i'r dŵr, ond roedden nhw hefyd yn chwifio amlen frown fochaidd dan ei thrwyn.

Roedd Eth yn nabod yr amlen, wrth gwrs.

Hi oedd wedi'i hanfon at Dexter Dolffin.

Ond doedd Eth ddim eisiau cyfaddef hynny.

Am ddau reswm.

1. Os byddai ei ffans ledled y byd yn clywed ei bod hi wedi sgrifennu llythyr at un aelod o'r Clwb, byddai *pawb* eisiau llythyr. *Wel, caws caled!* meddyliodd Eth.
2. Os byddai'r ddau blentyn yn sylweddoli bod Dexter Dolffin wedi'i gipio gan bryfyn enfawr, falle bydden nhw'n ceisio'i achub e.

A falle bydden nhw eisiau iddi hi helpu. *Wel, caws caled!* meddyliodd Eth eto. *Does gen i ddim amser.*

Felly, pan chwifiodd y bachgen y llythyr a chyhoeddi, 'Ti anfonodd hwn, ontefe?', fe agorodd Eth ei cheg gan feddwl dweud 'Na'. Ond doedd hyd yn oed Eth ddim yn fodlon dweud celwydd golau. Ar y funud olaf fe newidiodd ei meddwl, tynnu'r snorcel o'i cheg a dweud mewn llais snwfflyd, 'Falle.'

'O, Eth!' ochneidiodd Fel.

Ych! Rhewodd Eth. Roedd hi newydd sylweddoli pwy oedd y ferch. Fel oedd ei henw, ac yn ystod yr haf roedd Fel wedi achub Eth o garchar tywyll tanddaearol. (Mae'r hanes yn y llyfr *Y Cwpan Cors-snorclo*.) O, dwbwl iych! *Gobeithio nad yw hi'n disgwyl i fi dalu'r gymwynas yn ôl*, meddyliodd y gors-snorclwraig fyd-enwog. Ciciodd ei choesau'n ddiamynedd a pharatoi i roi'i snorcel yn ôl yn ei cheg.

'O plîs, Eth, dweda wrthon ni be sy'n digwydd,' meddai Fel yn daer. 'Dwi'n gwybod dy fod ti wedi sgrifennu dau lythyr. Plîs dwed wrthon ni pam wnest ti hynny.'

'Pam?' sgrechiodd Eth. Am gwestiwn twp!

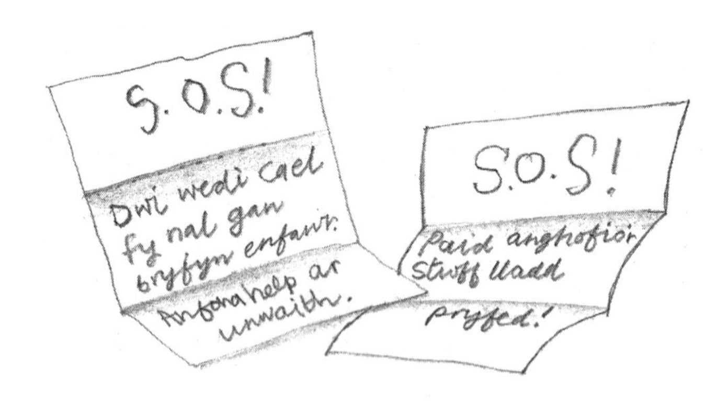

Roedd yr ateb yn ddigon clir yn y llythyron, yn doedd? Mewn un llythyr roedd hi wedi sgrifennu, *'S.O.S! Dwi wedi cael fy nal gan bryfyn enfawr. Anfona help ar unwaith.'* Yn y llythyr arall, at yr un person, roedd hi wedi gofyn am stwff lladd pryfed.

'Doedden ni ddim yn gallu darllen dy lythyron di, ti'n gweld,' meddai Fel. 'Roedd pob gair ond dau wedi diflannu ym mwd y gors.'

'**O?**' Gwibiodd gwên gyfrwys dros wyneb y gors-snorclwraig. Dyna lwc! Doedd neb, felly, yn gwybod am y pryfyn enfawr. 'Pa ddau air oedd y rheiny?' gofynnodd yn ddiniwed.

'S.O.S.' meddai Twmcyn.

'S o s?' meddai Eth. 'Mae s o s yn sillafu sos.'

Edrychodd Fel a Twmcyn ar ei gilydd.

'Heb y to bach,' ychwanegodd Eth. 'Ond twt, does dim angen to, heblaw ar y tŷ.'

'Felly sôs o't ti eisiau?' gofynnodd Twmcyn.

'Ie,' meddai Eth, a chodi'i hysgwyddau'n ddi-hid. 'A beth oedd y gair arall?'

'Pry-fardd,' atebodd Fel. 'P-r-y fardd.'

'**O**,' meddai Eth.

Syllodd pawb ar ei gilydd mewn tawelwch dwys am funud a mwy. Yna clywodd Fel a Twmcyn sŵn bach yn dod o gyfeiriad y dŵr – sŵn un ffliper yn ysgwyd yn araf a gofalus – ac fe welson nhw ben Eth yn suddo'n raddol i fwd y gors. Cyn pen dim doedd dim i'w weld ond blaen ei snorcel a rhes o fybls yn gwibio i ffwrdd ar ras.

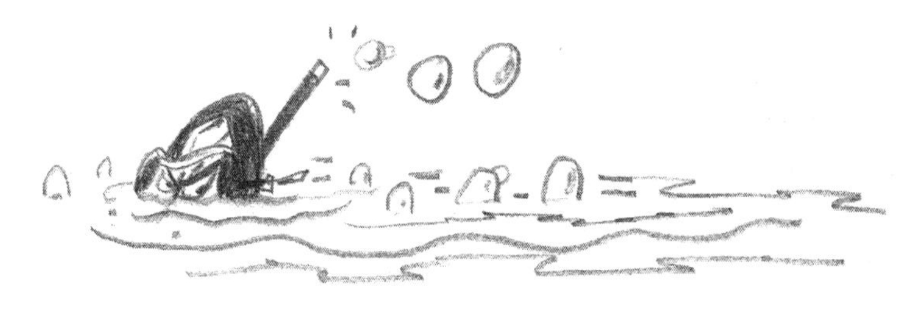

'Wel,' meddai Twmcyn yn drist, ar ôl i'r bybl olaf ddiflannu, 'allwn ni ddim disgwyl i gors-snorclwraig fyd-enwog stopio ymarfer er ein mwyn ni. Fyddai hynny ddim yn deg.'

'Na,' meddai Fel. 'Ac o leia fe sgrifennodd hi at Dad i'w rybuddio rhag y pryfyn enfawr, a . . .'

Tagodd Fel ar hanner brawddeg. Roedd hi newydd gofio bod ei thad mewn perygl enbyd.

Gan godi'r ffeil binc o'r mwd a'i gwasgu at ei chalon, fe hyrddiodd ei hun dros y cerrig gwynion i gyfeiriad yr ynys fechan yng nghanol Cors Eth.

Rhedodd Twmcyn ar ei hôl, a'i galon cyn drymed â bocsaid o boteli sôs. Ar yr ynys fechan o'u blaenau roedd pryfyn oedd yn bwyta beirdd. Ar yr ynys fechan roedd y Cogs. Cyn hir byddai'r pry-fardd . . . neu'r Cogs . . . neu bob un ohonyn nhw . . . yn clywed sŵn eu traed, ac yn rhuthro amdanyn nhw a'u dal.

Pry-fardd Rhy Hardd

Ond, yn rhyfedd iawn, ddaeth neb.

Roedd pawb ar yr ynys fechan mor brysur, chlywson nhw mo'r sŵn traed.

Mewn llannerch yng nghanol yr ynys eisteddai'r Cogs ar gadeiriau pren. Roedd gwên hapus ar wyneb pob un ond Angelbert. Ers awr a mwy roedd eu pennaeth, Tal Slip, wedi bod yn adrodd rhestr, sef RHESYMAU PAM MAE TAL SLIP YN GLYFRACH NA PHAWB ARALL YN Y BYD. Ers awr a mwy roedd Angelbert wedi gorfod sgrifennu pob gair i lawr ar bapur.

Roedd y rhestr yn dechrau fel hyn:

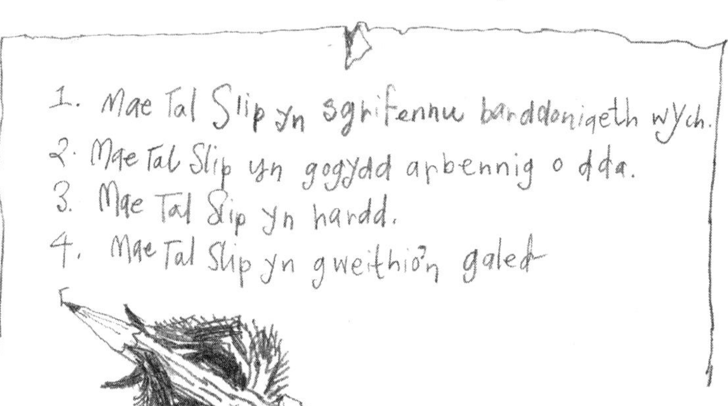

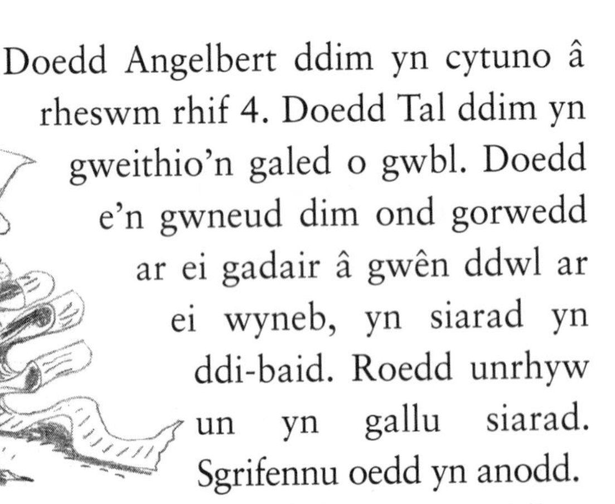

Doedd Angelbert ddim yn cytuno â rheswm rhif 4. Doedd Tal ddim yn gweithio'n galed o gwbl. Doedd e'n gwneud dim ond gorwedd ar ei gadair â gwên ddwl ar ei wyneb, yn siarad yn ddi-baid. Roedd unrhyw un yn gallu siarad. Sgrifennu oedd yn anodd.

Erbyn cyrraedd rheswm rhif 161, roedd llaw Angelbert yn brifo, a'i bol hefyd. Yn ymyl y Cogs roedd pair mawr yn ffrwtian ac oglau hyfryd yn codi ohono. Roedd Angelbert bron â llwgu. Roedd boliau pob Cog yn rymblan, ond doedd Tal ddim yn fodlon gadael iddyn nhw fwyta nes iddo orffen ei restr.

'Rhif 162,' suodd y pen-Cog. 'Mae Tal Slip yn gallu bwrw swyn.'

'**Hm**,' meddai Angelbert.

'Beth ddwedest ti, Angelbert?' gofynnodd Tal yn finiog.

'Dim,' ochneidiodd Angelbert a sgrifennu'r geiriau.

Roedd yn anodd credu bod Tal yn gallu bwrw swyn, ond roedd hynny'n berffaith wir. Roedd y Cogs i gyd wedi gweld y prawf â'u llygaid eu hunain. Beth amser yn ôl, roedd merch o'r enw Fel wedi dod i'r ynys ac, o achos Tal, roedd hi wedi troi'n fwnshyn o fananas. (Mae'r hanes yn y llyfr *Cawl Bys*.)

Mm. Llyfodd Angelbert ei gwefusau. Doedd hi ddim yn hoff iawn o fananas – roedden nhw'n rhy iach – ond roedd hi'n teimlo mor llwglyd y foment honno, mi fyddai wedi bwyta unrhyw beth, hyd yn oed sbrowts.

Mmmm. Gyda lwc, fe ddaw'r ferch yna'n ôl i'r ynys ryw ddiwrnod, meddyliodd Angelbert. Wedyn fe wna i 'i throi hi'n blataid o ginio Nadolig. Neu fyrgyr a tships. **Mmm**, ie, byrgyr â tships yn diferu o sôs coch. Doedd Angelbert ddim wedi blasu sôs coch ers yr hen ddyddiau, cyn iddi ddechrau sgrifennu barddoniaeth a newid ei henw.

'Angelbert!'

Cododd Angelbert ei phen. Roedd Tal yn syllu'n gas arni.

'Dwyt ti ddim yn gwrando!' chwyrnodd Tal.

'Ydw!' meddai Angelbert. 'Dwi newydd

sgrifennu: Rhif 162 Mae Tal Slip yn gallu bwrw swyn.'

'**Ha!**' gwaeddodd Tal Slip yn falch. 'Beth oedd y peth diwetha ddwedes i, Goginfeirdd?'

Cododd Crafydd ap Burum, Wag, Llywela Llywola a'r Cogs eraill eu pennau a llafarganu, 'Rhif 163. Mae Tal Slip yn gallu gwneud i ferch ei elyn pennaf newid ei siâp.'

Nodiodd Angelbert a dechrau sgriblan ar frys.

'Gwylia di,' chwyrnodd llais ei phennaeth yn ei chlust. 'Os gwnei di un camgymeriad arall, chei di ddim swper.'

W! Gwasgodd Angelbert ei bol gwag a dal ei phensil yn dynnach.

'Rhif 164,' meddai pennaeth y Cogs. 'Cyn hir bydd Tal Slip yn troi'r ferch yn blataid mawr o rywbeth blasus ac yn ei llowcio bob tamaid.'

'Ac yn ei rhannu â'i ffrindiau?' awgrymodd llais sebonllyd Crafydd ap Burum.

'Ac yn ei rhannu â'i ffrindiau,' cytunodd Tal, gan groesi'i fysedd yn slei bach.

Sgrifennodd Angelbert y geiriau ar y papur cyn i Tal newid ei feddwl.

Pesychodd Tal Slip ac edrych o'i gwmpas i wneud yn siŵr fod pawb yn gwrando.

'Rhif 165,' meddai â gwên bwysig. 'Mae Tal Slip wedi creu bwystfil.'

Aaaaaaaaaaa! Suodd ochenaid hir, hapus drwy'r Cogs. Oedodd llaw Angelbert uwchben y papur, ac am foment, fe anghofiodd am ei bol llwglyd, a throi, 'run fath â phawb arall, i syllu'n edmygus ar ei phennaeth. Oedd, roedd Tal Slip wedi creu bwystfil. Roedd e wedi creu pryfyn enfawr a oedd ar hyn o bryd yn swatio yn y Mynyddoedd Sbwriel ym mhen pella'r ynys. Doedd neb ond Tal yn deall yn union sut oedd e wedi creu'r pryfyn, ond **waw!** Dyna gamp!

Â gwên gyffrous ar ei hwyneb, ychwanegodd Angelbert rif 165 at y rhestr. Am funud,

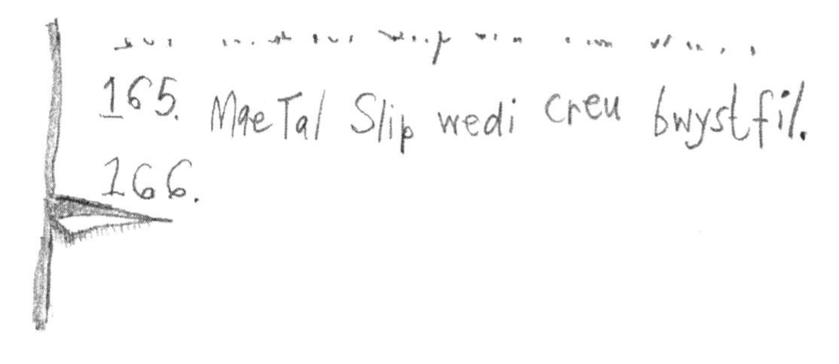

ddwedodd neb air, dim ond syllu'n freuddwydiol i'r awyr. Yna, yn dawel ond yn hyderus iawn, meddai'r pennaeth, 'Rhif 166. Mae Tal Slip yn mynd i wneud ffilm.'

Ffilm! Crynodd y Cogs mewn cyffro. Unwaith, flynyddoedd yn ôl, roedden nhw'n sêr byd y teledu. Amser gwych oedd hwnnw. **Mmmm!** Byddai actio mewn ffilm yn fwy gwych fyth.

Gan ochneidio'n hapus meddai Llywela Llywola, 'Pan o'n i'n fach, fe welais i ffilm o'r enw *Doctor Frankenstein a'i Fwystfil.*'

'A finne,' meddai Angelbert.

'A finne,' meddai Wag. 'Roedd hi'n ffilm dda.'

'Ond dim hanner cystal â *Doctor Slip a'i Fwystfil,*' meddai Crafydd.

'Na,' meddai Tal Slip. '*Doctor Slip a'i Fwystfil* fydd y ffilm orau erioed.'

Rhwbiodd ei ddwylo blewog, a syllu ar y llun oedd yn hongian ar goeden yn ymyl y llannerch. Roedd dau berson yn y llun. Ar y chwith roedd person hardd a barddonol yr olwg, sef fe'i hunan. Ar y dde roedd pryfyn enfawr. Rhyw ddiwrnod, fe fyddai'r llun hwn i'w weld y tu allan i sinemâu ledled Cymru

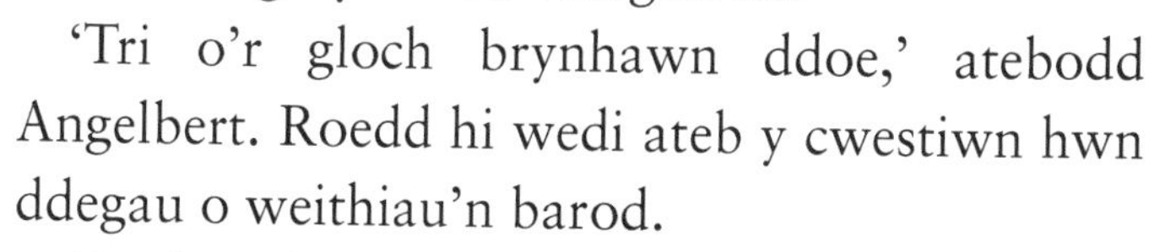

a'r byd. *Mi fydda i'n fyd-enwog*, meddyliodd Tal Slip.

Sugnodd y pen-Cog ddiferyn o gawl o'i fwstásh ac edrych ar ei wats. 'Pryd yn union wnest ti bostio'r llythyr at y fenyw 'na sy'n gwneud ffilmiau?' gofynnodd i Angelbert.

'Tri o'r gloch brynhawn ddoe,' atebodd Angelbert. Roedd hi wedi ateb y cwestiwn hwn ddegau o weithiau'n barod.

'Ac fe welest ti'r postmon yn rhoi'r llythyr yn ei bag?'

'Do,' atebodd Angelbert yn swta.

'Ac fe sgrifennest ti'n enw a'r cyfeiriad yn glir ar yr amlen?'

'Do,' atebodd Angelbert yn swta iawn.

'A'r côd post?'

'Do!' sgyrnygodd Angelbert.

'A chofio rhoi'r neges a chopi o'r llun yn yr amlen?'

'Do!' sgrechiodd Angelbert. 'Fe wnes i bopeth yn dwt ac yn drefnus. Dwi'n siŵr fod Ms Tili Lagwna wedi derbyn y neges erbyn hyn.'

'Wel, ble mae hi?' chwyrnodd Tal Slip. 'Mae hi bron yn amser cinio.'

Tapiodd Tal ei fysedd yn anniddig a diflannodd y wên yn gyfan gwbl oddi ar ei wyneb. Edrychodd ar ei wats am y canfed tro.

Cynhyrchydd ffilmiau iasoer oedd Ms Tili Lagwna, ac roedd hi'n enwog am wneud ffilmiau am bob math o greaduriaid erchyll. Llynedd fe enillodd Wobr BAFTA Cymru am *Y Byji a Ddifethodd Stadiwm y Mileniwm* a gwobr Oscar am *Y Wiwer Waedlyd.*

Mae fy mwystfil i'n llawer mwy cyffrous na byji a gwiwer, meddyliodd Tal Slip. *Felly pam nad yw Tili wedi llogi jet a hedfan ar ei hunion i'r ynys fechan hon?*

Crafodd Tal ei fol. 'Dere â'r llun draw i fi, Angelbert,' chwyrnodd.

Cer i'w nôl e dy hunan, y ffwlbart diog. Neidiodd y geiriau i wefusau Angelbert, ond drwy lwc fe lwyddodd i'w llyncu cyn eu dweud yn uchel. Gan wasgu'i gwefusau'n dynn, fe gododd ar ei thraed. Gosododd ei rhestr ar bigau'r draenog oedd yn sownd wrth ei chadair, ac i ffwrdd â hi i nôl y llun. Plyciodd e o'r goeden a mynd yn ôl at Tal.

'Symuda'n gyflymach y tro nesa,' meddai Tal yn swta, ond fe ddiflannodd ei dymer ddrwg cyn gynted ag y gwelodd y llun hardd, arwrol. Hanner-caeodd ei lygaid, ac yn ei ddychymyg gallai weld ei hun yn cerdded ar hyd y carped coch yn sinema fwyaf Canolbarth Cymru. Pawb yn gweiddi. 'Tal! Tal!' Miloedd o gamerâu'n clician. Llyfrau llofnodion yn cael eu hysgwyd o dan ei drwyn. **Mmmmmmmmmmm!**

Ond doedd Ms Tili Lagwna ddim wedi rhuthro i'r ynys i gychwyn ar y ffilm.

Pam?

Llithrodd llygaid Tal tuag at wyneb y pryfyn.

Hm!

Ar hwnnw oedd y bai.

YN BENDANT!

Crensiodd Tal ei ddannedd. Doedd y pryfyn ddim yn edrych yn ddigon bwystfilaidd, ffyrnig a gwaedlyd.

'Angelbert,' meddai'r pen-Cog yn fygythiol. 'Pwy dynnodd y llun hwn?'

'Fi,' atebodd Angelbert.

'TI?'

Nodiodd Angelbert yn falch. Roedd hi'n meddwl ei fod e'n llun arbennig o dda, oedd yn dangos cymeriad Tal a'r pryfyn yn berffaith.

'PANTS!' rhuodd Tal Slip. 'Y llun hwn yw'r llun gwaetha dwi erioed wedi'i weld yn fy mywyd. Dim bwyd i ti! CRAFYDD!'

'Ie, Tal?' meddai Crafydd gan ruthro at ei bennaeth.

'Cer i nôl y camera, a thynna lun arall o'r pryfyn. Gofala ei fod e'n llun BWYSTFILAIDD, FFYRNIG, BYGYTHIOL a DYCHRYNLLYD!'

'Wrth gwrs, annwyl bennaeth,' meddai Crafydd yn ddewr.

Yn ddistaw bach roedd arno ofn y pryfyn, ond fentrai e ddim dweud hynny wrth Tal. Brysiodd i nôl y camera, ac i ffwrdd ag e i'r Mynyddoedd Sbwriel ym mhen draw'r ynys.

Pry-feddol!

Rhyw hanner awr yn gynt, roedd y pryfyn enfawr wedi gollwng y Prifardd Rhonabwy O'Landaf Jones yn y Mynyddoedd Sbwriel.

Beth oedd wedi digwydd ers hynny?

Oedd Rhoj wedi rygbi-taclo'r pryfyn, yna clymu ei chwe choes a dianc?

Neu a oedd y pryfyn wedi bwyta Rhoj?

Gawn ni weld. Ond yn gyntaf, rhag ofn dy fod ti'n methu credu bod pryfyn mor ENFAWR yn byw yng Nghanolbarth Cymru, dyma'i hanes.

Hanes Rhyfeddol – a bron yn Anhygoel – y Pryfyn Enfawr

Unwaith roedd 'na bryfyn cyffredin. Roedd e'n fach. Roedd e'n swnllyd. Roedd e'n byw mewn bin y tu ôl i Swyddfa Bost Canolbarth Cymru.

Un diwrnod, fe hedfanodd y pryfyn bach cyffredin hwn i mewn i fan Gweneira'r postmon a glanio ar y pecyn o losin-siâp-mwydod-coch oedd ar sedd y teithiwr. Gan sugno a llowcio'n hapus, fe deithiodd yn y fan yr holl ffordd i Gors Eth.

Roedd y pryfyn wedi bwriadu teithio'n ôl adref hefyd, ond pan welodd e'r gors fawr, fwdlyd – waw! – fe hedfanodd ar ei union drwy ddrws agored y fan. *A' i byth yn ôl i'r bin,* hymiodd. *Mae Cors Eth yn lle mor braf. Mae'n llawn o faw hwyaid a ffliperi wedi pydru. Ac mae'n llawn o bryfed!*

Cyn pen dim roedd y pryfyn wedi gwneud llwyth o ffrindiau, ac wrth ei fodd yn hymian yn eu cwmni. Fe fyddai'n dal yno tan y dydd heddiw oni bai am yr AROGL HYYYYYYYYFRYD oedd yn chwythu dros y gors.

Dyfala pa fath o arogl oedd e.

Arogl rhosyn?

Byrgyr a tships?

Gwm cnoi blas mefus?

Anghywir. Er bod oglau'r pethau hynny'n hyfryd i ti a fi, i bryfyn maen nhw'n ddiflas dros ben. Oglau MELYS a DREWLLYD – dyna mae pryfed yn eu hoffi, ac roedd yr arogl oedd yn suo dros y gors ar y diwrnod arbennig hwn yn FELYS a DREWLLYD dros ben. Y Cogs oedd wrthi'n coginio *Tail-tele*.

Dyma'r rysáit (RHYBUDD: Paid â'i choginio!):

Tail-tele

Cym'wch gilo o tagliatelle,
Do-nyts, cactws, pâr o sgidie,
Rhowch mewn pair ac ychwanegu
Siwgr, siocled, a bisgedi,
Mil o falwod wedi'u stwnsio,
Mil pry copyn wedi'u sgeintio
Gydag olew blodau'r haul,
Hufen iâ a llwyth o dail.
Mewn dŵr corslyd rhaid eu berwi
Nes i'r cyfan ddechrau drewi.
Wedyn ychwanegwch bry –
Pum deg cilo. Iym, iym-iiii!

O, WAW! O, IYM! Roedd y rysáit yn cynhyrchu'r arogl gorau erioed, a'r pryfed wedi gwirioni'n lân. Sboncion nhw mewn cyffro, a chyda BSSSSSSSSSSSSSSSSSS! enfawr, hapus, i ffwrdd â nhw ar ras i chwilio am y bwyd hyfryd oedd yn creu'r fath arogl.

Ond druan â nhw.

Sylwaist ti ar y peth olaf yn y rhestr o gynhwysion?

Pry. Pum deg cilo o bry.

Gwaith anodd iawn yw casglu pum deg cilo o bry, a doedd y Cogs ddim yn hoffi gwaith. Roedden nhw'n ddiog.

'Gadewch i'r pry wneud y gwaith droson ni,' meddai'r pennaeth, Tal Slip, gan wenu'n slei.

A dyma'r Cogs yn ychwanegu mwy a mwy o bethau melys a drewllyd i'r cymysgedd, nes i'r pryfed ruthro'n wyllt at y pair a'r dŵr yn diferu o'u dannedd.

Cyn pen dim . . .

'BSSSS . . .'

Plop! Plop! Plop! Plop! (x 500,000)

SSSSSSSSSSS!

. . . roedd y pryfed i gyd ond un wedi disgyn i'r pair a bellach yn rhan o'r Tail-tele.

Yr unig un ffodus oedd ein pryfyn bach ni. Ar ei ffordd i'r pair, roedd e wedi digwydd taro yn erbyn Tal Slip a chael ei ddal yn sownd ym marf y pennaeth.

Am wythnos gron fe fu'r pryfyn yn garcharor yn y farf. Dyna wythnos braf gafodd e! Bwytwr anniben iawn oedd Tal Slip. Roedd e'n sarnu hanner ei fwyd dros ei farf, felly am wythnos gron fe fwytodd y pryfyn y bwyd mwyaf blasus a gafodd erioed. Doedd e ddim yn sylweddoli – a phaid ti â dweud wrtho – ei fod, mewn gwirionedd, yn bwyta'i ffrindiau, achos doedd e ddim wedi'u gweld nhw'n disgyn i mewn i'r pair. Tan y dydd heddiw mae e'n meddwl bod y pryfed eraill wedi mynd ar wyliau, a'u bod bellach yn sugno hufen iâ ar brom Llandudno.

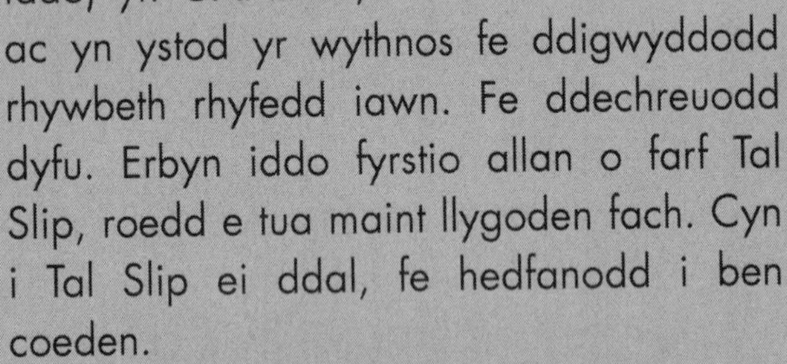

Beth bynnag, roedd y pryfyn (heb yn wybod iddo) yn GANIBAL, ac yn ystod yr wythnos fe ddigwyddodd rhywbeth rhyfedd iawn. Fe ddechreuodd dyfu. Erbyn iddo fyrstio allan o farf Tal Slip, roedd e tua maint llygoden fach. Cyn i Tal Slip ei ddal, fe hedfanodd i ben coeden.

Erbyn yr wythnos ganlynol roedd e'r un maint â chath fach, a'r Cogs bron â marw eisiau'i fwyta. Roedd Angelbert hyd yn oed wedi adeiladu catapwlt enfawr er mwyn saethu hen esgyrn a thuniau tuag ato. Ond 'Na! Stop!' meddai Tal Slip.

Roedd y pennaeth wedi darganfod nyth fach yn ei farf. Dyna lle roedd y pryfyn wedi bod yn cuddio, mae'n rhaid. ''Drychwch! 'Drychwch!' gwaeddodd Tal Slip a gwthio'i wyneb blewog i wyneb pob un o'r Cogs yn eu tro. 'Chi'n gweld y nyth? Dyna lle roedd y pryfyn yn byw.'

'Waw!' ebychodd Wag.

'Waw!' ebychodd Llywela.

'WAAAAAAAAAAAAAW!' ebychodd Crafydd.

'Waw!' ebychodd Angelbert. 'Felly ti sy wedi bwrw swyn ar y pryfyn, Tal. Dyna pam mae e mor fawr.'

Tynnodd Tal Slip ei anadl i'w ysgyfaint. Chwyddodd fel balŵn. Roedd Angelbert yn iawn!

'Ie,' meddai'r pen-Cog yn bwysig. 'Unwaith eto rydw i, Tal Slip, y person mwya clyfar yn y byd, wedi bwrw swyn.'

Trodd pob llygad i edrych ar y pryfyn mawr oedd yn eistedd yn y goeden ym mhen draw'r llannerch. Tra oedden nhw'n dadlau, roedd e wedi tyfu eto. Bellach, roedd 'run maint â chath dew.

Ond er bod y Cogs yn gweld ei fod e'n bryfyn rhyfeddol, doedd ganddyn nhw ddim syniad *pa* mor rhyfeddol. Wrth i'r pryfyn dyfu o ran maint o ddydd i ddydd, roedd rhywbeth rhyfeddach fyth yn digwydd i'w ymennydd. Pan oedd e'n fach, doedd y pryfyn erioed wedi treulio llawer o amser yn MEDDWL. Os oedd e'n gweld brechdan jam neu bysgodyn wedi pydru, roedd e'n meddwl, 'Iym! Blasus!' Os oedd e'n gweld rholyn o bapur neu chwistrelliad yn anelu amdano, roedd e'n meddwl, 'Iiich! Rhaid i fi ddianc!' Heblaw hynny, doedd e ddim yn meddwl o gwbl. Ond nawr . . . NAWR . . . roedd ei ben yn fwrlwm o feddyliau cyffrous.

Pan oedd y pryfyn yn teimlo diferyn o law ar ei adain, roedd geiriau fel hyn yn gwibio drwy'i ymennydd:

Plip-plop, mae'r glaw
Yn golchi'r baw.
Hwrê, mae'r haul
Yn sgleinio'r dail.

A phan oedd e'n edrych ar Angelbert, roedd geiriau fel hyn yn sboncio drwy'i ben:

O, Angelbert,
Mor ddu yw'th sgert,
Bron iawn mor ddu
Â'th wyneb di.

Roedd y pryfyn yn dechrau poeni ei fod e'n sâl. Dyna pam oedd e'n eistedd yn y goeden drwy'r amser, yn teimlo'n rhy ofnus i hedfan i ffwrdd.

Digon posib y byddai wedi eistedd yno am byth, oni bai i Tal ddod at y goeden un diwrnod a dweud mewn llais mwyn:

'Shwd wyt ti, bry?
Tal Slip dw i.
Symuda hi nawr,
A dere i lawr.'

Crynodd y pryfyn drwyddo. Roedd Tal Slip ac yntau'n siarad yr un iaith, iaith lle'r oedd sawl un o'r geiriau'n swnio 'run fath.

'Diolch, Tal. Go lew!
Dwi'n hoffi'r blew
Sy ar dy ên.
Rwyt ti mor glên!'

gwaeddodd y pryfyn. (Dyna oedd e'n TRIO'I weiddi, ond yr unig sŵn ddaeth allan oedd 'Bsssss! Bsssssss!') Gan bssssian yn uchel fe hedfanodd i lawr o'r goeden a sefyll ar ysgwydd Tal Slip.

Am ddyddiau lawer ar ôl hynny, fe fu'n eistedd ar gadair bren yn ymyl pennaeth y Cogs yn ystod y dydd, yn bwyta llond ei fol o fwyd blasus ac yn gwrando ar Tal yn adrodd geiriau o'r enw 'barddoniaeth'. Yn ystod y nos roedd e'n cysgu yn y Mynyddoedd Sbwriel, yng nghanol y tuniau a'r esgyrn, y peli o bapur wedi'i sgrwnsian, amlenni oedd ddim yn sticio, hen feiros a phethau felly.

Roedd bywyd yn braf.

Roedd e'n meddwl y byddai'n byw fel hyn am byth.

OND . . . wrth i ymennydd y pryfyn dyfu a datblygu, fe sylweddolodd ddau beth:

1. Roedd bwyd y Cogs yn gwbl afiach.
2. Roedd eu barddoniaeth yn rwtsh.

Serch hynny, roedd y pryfyn yn rhy foesgar i ddweud 'YCH!!' na hyd yn oed 'HSSSSSSSSSSS!' Roedd y Cogs mor garedig ac yn ffrindiau mor dda, yn doedden nhw?

Hm!

Tan ddoe, roedd y pryfyn druan yn credu hynny o ddifri.

Ddoe roedd y tywydd yn braf, a dail y coed ar ynys y Cogs yn murmur yn yr awel. Dawnsiai'r dafnau o wlith yn groyw, loyw ar we'r pry cop, a disgleiriai llygaid Angelbert fel dwy em wrth iddi sgrifennu enw a chyfeiriad Tili Lagwna ar amlen wen. Roedd y pryfyn yn mwynhau'r olygfa, a'i ben yn llawn o eiriau mwyn, pan dorrodd llais Tal Slip ar ei draws.

'Barod i sgrifennu'r llythyr, Angelbert?' gofynnodd Tal.

'Ydw,' atebodd Angelbert, gan roi'r amlen i'r naill ochr ac estyn am ddarn o bapur. Edrychodd yn eiddgar ar ei phennaeth. 'Beth wyt ti am i fi sgrifennu?' holodd.

'Fy annwyl Til . . . iiii . . . lll,' dechreuodd Tal, gan wichian fel llygoden. Roedd e wedi cael uwd malwod i frecwast, ac roedd ei wddw'n dal i deimlo braidd yn stici.

Pesychodd Tal, clirio'i lwnc yn chwyrn, poeri ar y llawr, ac ailddechrau adrodd mewn llais pwysig a thrwynol:

Fy annwyl Tili,
Paid bod yn sili.
Tyrd draw ar ras
I weld bwystfil cas.
Mae'n gawr. Mae'n dal.
Mae'n GANI-BAL!
Mae'n sugno gwaed
O fysedd traed.
Mae'n hoffi plant.
(Fe fwytodd gant.)
O, wir i ti,
Mae'n ych a fi!

Wrth i'r pryfyn wrando'n astud ar y farddoniaeth, sylwodd fod y Cogs i gyd yn syllu arno ac yn gwenu'n slei. Pam oedden nhw'n edrych arno fe ac nid ar Tal? A pham oedden nhw'n gwenu? Roedd Tal yn sôn am fwystfil ffiaidd. Iych! Crynodd y pryfyn wrth feddwl am y fath greadur.

Ac yna fe sylwodd ar y llun yn llaw Tal a chlywed Tal yn dweud:

'Nawr dyma lun
O fi fy hun,
Ac yn fy ymyl
Wele'r BWYSTFIL!'

Yyyyyyyy? Aeth ias o sioc drwy'r pryfyn. Fe oedd yn sefyll yn ymyl Tal yn y llun. Fe'i hun! Doedd bosib bod Tal yn sôn amdano fe?

Oedd, mi oedd e!

Roedd Tal yn wincian ac yn codi'i fawd arno.

'Hi hi,' meddai Tal wrth y pryfyn. 'Pan fydd Tili Lagwna'n darllen y llythyr ac yn gweld y llun, mi fydd hi'n rhuthro yma i wneud ffilm amdanat ti a fi – ffilm o'r enw *Doctor Slip a'i Fwystfil*!'

'Bsssssss-ssss-sssss! (Dwi ddim yn fwystfil! Dwi ddim yn ganibal! A dwi erioed wedi bwyta plant!)' llefodd y pryfyn. Roedd y Cogs wedi'i dwyllo. Nid yn unig roedden nhw'n feirdd gwael ac yn gogyddion gwael, ond roedden nhw'n ffrindiau gwael hefyd. Ffrindiau gwael, celwyddog! Roedd y pryfyn yn crynu cymaint, nes bod y papur yn llaw Angelbert wedi dechrau fflapian.

'Hei, fwystfil!' meddai Tal yn llon. 'Stopia dy grynu. Cer o'r ffordd am sbel.'

Cododd y pryfyn i'r awyr ar unwaith. Roedd e'n bwriadu gadael ynys y Cogs a hedfan i ffwrdd – ond i ble?

'Bsssssssssssssssssssss!' llefodd y pryfyn a glanio'n swp yn y Mynyddoedd Sbwriel. 'Ble alla i fynd? Beth os yw'r byd yn llawn o bobl fel y Cogs? Falle mai fi yw'r unig greadur sy â'i ben yn llawn o feddyliau hardd. Falle mai fi yw'r unig fardd yn y byd.'

Na!

Ysgydwodd y pryfyn ei ben, a chodi'i galon. Roedd e'n hollol siŵr ei fod e wedi cwrdd â bardd arall yn rhywle. Ond ble?

Meddyliodd y pryfyn yn ddwys. Doedd e ond wedi byw mewn dau le erioed, sef yn y bin sbwriel y tu allan i Swyddfa Bost Canolbarth Cymru, ac ar lannau Cors Eth. Rhaid bod y bardd yn un o'r ddau le hynny, meddai wrtho'i hun, a heb oedi dim aeth i chwilio amdano.

Wrth hedfan yn isel dros ddyfroedd Cors Eth, fe welodd y pryfyn fraich yn codi o'r mwd. Cydiodd yn y fraich a chario'i pherchennog yn ôl i'r ynys.

Yn anffodus, doedd perchennog y fraich yn deall dim am farddoniaeth. Doedd y dyn ifanc gyrhaeddodd y gors mewn fan las ddim tamaid o werth chwaith. Roedd hwnnw'n llewygu bob tro oedd e'n edrych ar y pryfyn, ac fe fethodd ddweud un gair o'i ben, heb sôn am bennill cyfan.

Ond 'BSSSSSSSSSS!' (Tri chynnig i Gymro), meddai'r pryfyn.

Am y trydydd tro fe hedfanodd dros y gors. Am y trydydd tro fe lwyddodd i gipio bardd, a'r tro hwn roedd e'n fardd GO IAWN.

D . . . D . . . Dryslyd

Tra wyt ti'n synnu a rhyfeddu at y stori yna, fe a' i'n ôl i chwilio am Fel a Twmcyn. Os wyt ti'n cofio, roedd y ddau'n rhedeg nerth eu traed i gyfeiriad yr ynys fechan yng nghanol y gors. Cyn gynted ag y cyffyrddodd eu traed â thraeth yr ynys, fe glywson nhw sŵn. Roedd rhywun yn carlamu tuag atyn nhw, ac yn llefain '***O-o-o-o-o-o-o!***' ar yr un pryd.

Neidiodd Fel a Twmcyn i'r llwyni, gan ddisgwyl gweld un o'r Cogs yn anelu amdanyn nhw. Ond pwy welson nhw'n rhedeg fel y gwynt â ffliper o dan un fraich ond . . .

'Dexter Dolffin!' gwaeddodd y ddau gyda'i gilydd.

'**Aaaaaaa!**'

Baglodd Dexter a disgyn yn fflat ar y tywod. 'O, paid â 'mwyta i!' llefodd. 'Paaaaaaid!'

'Dexter!' meddai Fel. 'Pwy sy'n mynd i dy fwyta di?'

'**Y?**' Agorodd Dexter un llygad a syllu ar Fel. '**O!**' Gwenodd yn chwyslyd a sbecian i gyfeiriad y Mynyddoedd Sbwriel. Stryffagliodd ar ei draed.

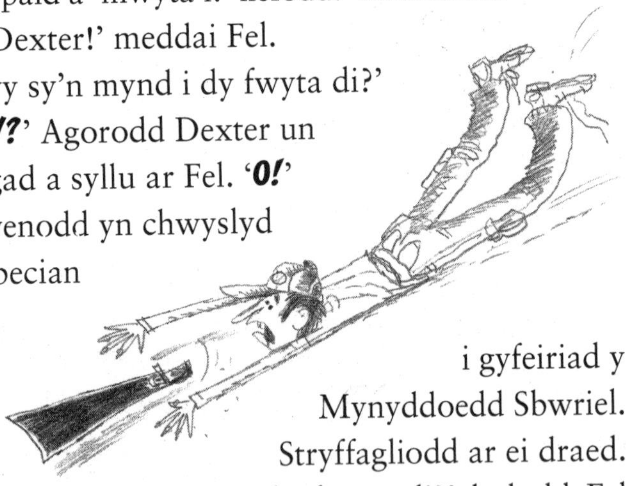

'Pwy sy'n mynd i dy fwyta di?' holodd Fel eto.

'**O-o-o-o-o-o-o!**' Dechreuodd Dexter grynu fel deilen. Roedd MEDDWL am y pryfyn, heb sôn am ddweud ei enw, yn ddigon i wneud iddo lewygu.

'Ife pryfyn enfawr?' gofynnodd Fel.

'**O-o-o-o . . !**' Llewygodd Dexter.

Edrychodd Fel a Twmcyn ar ei gilydd.

'Dwi'n meddwl mai'r ateb yw "Ie",' meddai Twmcyn yn dawel.

'Dexter . . .' Estynnodd Fel ei llaw'n garedig a helpu Llywydd Clwb Ffans Eth i godi ar ei draed. 'Plîs alli di fod yn ddewr . . ?'

'**Na!**' gwichiodd Dexter ar ei thraws, a dechrau beichio crio. 'Alla i ddim! Achos mae'r pryfyn wedi bwyta . . .' Tagodd a chrio'n waeth.

Teimlodd Twmcyn ei galon yn suddo i wadnau'i draed.

Roedd calon Fel yn suddo'n is fyth, ond rhywsut fe lwyddodd i wichian, 'Bwyta pwy?'

'E-e-e-e-th!' llefodd Dexter.

'ETH?' gwaeddodd Twmcyn a Fel gyda'i gilydd. 'Na, dyw e ddim wedi bwyta Eth. Mae Eth yn iawn, ac yn ymarfer yn y gors.'

'**Y?**' Sychodd dagrau Dexter ar amrantiad. Syllodd ar Twmcyn a Fel â gwên fach swil, obeithiol ar ei wyneb. 'Wir?' gofynnodd.

'Wir,' atebodd Twmcyn.

Mewn llais bach, bach gofynnodd Fel, 'Pwy mae'r pryfyn wedi'i fwyta, 'te, os nad yw e wedi bwyta Eth?'

Blinciodd Dexter. Roedd e wedi cael cymaint o fraw nes bod ei ben wedi drysu fel plataid o sbageti. Pam oedd e'n meddwl bod Eth wedi cael ei bwyta yn y lle cyntaf? O ie! Roedd e wedi gweld ei ffliper yn gorwedd yn ymyl pentwr o esgyrn yn y Mynyddoedd Sbwriel.

Cydiodd Fel yn ei fraich a gorfodi iddo edrych ym myw ei llygad. 'Ydy e wedi bwyta Dad?' gofynnodd. 'Ydy'r pryfyn wedi bwyta Dad?'

Blinciodd Dexter eto, a thrio cofio. Ar ôl llewygu am y degfed tro, roedd e wedi deffro a gweld bod y pryfyn wedi diflannu. Heb aros i wneud dim ond codi ffliper Eth, roedd e wedi dianc am ei fywyd. Pan oedd e'n rhedeg rhwng y llwyni, fe welodd gysgod du yn hedfan uwchben.

'**A!**' meddai Dexter yn ddeallus a nodio'i ben.

'**AAAAA!**' sgrechiodd Fel. 'Mae e wedi bwyta Dad!'

'**Na, na, na,**' meddai Dexter. 'Nodio o'n i, achos 'mod i wedi sylweddoli mai dy dad hedfanodd uwch fy mhen.'

'Yn sownd wrth bryfyn?' gofynnodd Twmcyn.

'Ie, ie,' meddai Dexter yn hapus. 'Fyddai tad Fel ddim yn gallu hedfan ar ei ben ei hun.' Sobrodd. 'Ond alla i ddim dweud a yw'r pryfyn wedi'i fwyta e ai peidio. Y cyfan weles i oedd y ddau ohonyn nhw'n hedfan tuag at y Mynyddoedd Sbwriel.'

'Y Mynyddoedd Sbwriel,' meddai Fel, gan ailddechrau rhedeg. 'Dere, Twmcyn.'

Gwyliodd Dexter nhw'n mynd. Tybed a ddylai e fynd i'w helpu? Na, fyddai e ddim gwerth. Byddai'n siŵr o lewygu. Felly ymlaen â Dexter yn sionc i roi'r ffliper yn ôl i Eth.

Snap!

Tra oedd Fel a Twmcyn yn rhedeg o gyfeiriad y traeth, eu gwynt yn eu dwrn, roedd dau ffrind yn eistedd yn hapus a chytûn yn y Mynyddoedd Sbwriel. Er nad oedden nhw ond newydd gyfarfod, roedden nhw wedi deall ei gilydd yn syth.

Ar ôl dod dros y sioc o gael ei gipio i'r awyr gan bryfyn enfawr, roedd Rhoj wedi dod ato'i hun yn rhyfeddol. Roedd Rhoj, fel pob postmon arall, yn gyfarwydd â gweld pethau dychrynllyd – pobl yn eu pyjamas, dannedd Rottweiler ac ati. Felly, pan osododd y pryfyn e ar y llawr, fe wnaeth Rhoj yr union beth roedd e'n arfer ei wneud. Fe wenodd yn glên. Er syndod iddo, yn wahanol iawn i Rottweilers a phobl sy wedi cael eu llusgo o'r gwely'n gynnar yn y bore, gallai dyngu bod y pryfyn wedi gwenu'n ôl. A phan edrychodd Rhoj ym myw llygaid y pryfyn, fe welodd eu bod nhw'n llawn o freuddwydion.

'Henffych, ffrind,' meddai'r Prifardd Rhoj yn gyffrous.

Neidiodd y pryfyn yn fwy cyffrous fyth. Doedd e ddim yn deall y gair 'henffych' – hen air yw e sy'n golygu 'helô' – ond roedd e wedi nabod llais Rhoj. Pan oedd e'n bryfyn bach yn byw yn y bin sbwriel y tu allan i Swyddfa Bost Canolbarth Cymru, roedd e'n arfer clywed y postmyn yn mynd a dod. Byddai rhai'n gweiddi pethau fel 'Beth oedd y sgôr neithiwr? Sut gêm oedd hi?' Byddai rhai – fel Gweneira – yn hymian caneuon pop. Ond byddai un person arbennig yn siarad â'r llythyron yn ei sach ac yn dweud pethau fel hyn:

'O amlen wen, o ble doist di?
O'r Affrig bell. O Kimberley.
Eheda fel y gwcw lon,
Â'th hudol gân i Heol y Fron.'

Awdur y geiriau hynny oedd yn sefyll o'i flaen. Roedd y pryfyn wrth ei fodd!

'Rhoj ydw i,' meddai Rhoj, ac ysgwyd un o ddwylo'r pryfyn. 'Mae'n fraint cael cwrdd â ti. Beth yw dy enw?'

'**Bsssss!**' meddai'r pryfyn.

'Wel, Bsssss,' meddai Rhoj. 'Dwi'n teimlo yn fy nghalon dy fod ti'n fardd. Ydw i'n iawn?'

Plygodd y pryfyn ei ben yn swil. Oedd, mi oedd e'n fardd, er nad oedd e erioed wedi rhoi gair ar bapur. Falle y gallai'r bardd cwrtais a bonheddig hwn ei helpu. Yn llawn cyffro, a'i fochau'n goch ac mor ddisglair â haul canol haf, fe frysiodd y pryfyn i nôl papur a beiro.

Roedd e mor brysur yn chwilota yn y Mynydd Sbwriel, sylwodd e ddim ar gamera'n dod rownd y gornel. Yn cydio yn y camera roedd dwylo crynedig Crafydd ap Burum. Roedd y Cog mor ofnus, allai e ddim edrych drwy'r lens. Caeodd ei lygaid, clician a gobeithio'r gorau. Cyn pen dim roedd e'n rhedeg yn ôl at ei bennaeth, a'r chwys yn llifo i lawr ei wyneb.

OOOOOO! Fandal!

Roedd Tal Slip yn dal i eistedd ar ei gadair bren. Yn sefyll o'i flaen roedd Llywela, â drych mawr yn ei llaw. Roedd bol Llywela'n rymblan fel taran, ond yn wahanol i Angelbert doedd hi ddim yn cwyno. Safai'n stond â gwên fawr ar ei hwyneb, a gwylio Tal Slip yn sbecian arno'i hun, yn plygu'i ben i'r dde ac i'r chwith, yn ymarfer gwenu ac edrych yn ddifrifol am yn ail.

'Wyt ti'n meddwl fy mod i'n rhy hardd, Llywela?' gofynnodd Tal o'r diwedd.

'Rhy hardd?' gwichiodd Llywela. 'All neb fod yn *rhy* hardd.'

'Neb ond fi,' meddai Tal.

'Rwyt ti'n hardd iawn,' cytunodd Llywela. 'Ond mae sêr ffilmiau i fod yn hardd.'

Nodiodd Tal. 'Dwi ddim eisiau i bawb ganolbwyntio ar fy wyneb del,' ochneidiodd.

'Dwi eisiau iddyn nhw sylweddoli fy mod i hefyd yn berson clyfar. Dwi'n fardd, yn gogydd ac yn wyddonydd sy'n gallu bwrw swyn.'

'Mae bardd yn gallu bod yn hardd,' meddai Llywela.

'Ond nid pob un,' meddai Tal, gan feddwl am ei elyn pennaf, Ofnadwy O'Fandal Jones, sef tad y ferch oedd yn newid ei siâp.

'Mae cogyddion a gwyddonwyr yn gallu bod yn hardd hefyd,' meddai Llywela.

'Wel, dwi'n gogydd ac yn wyddonydd a dwi'n hardd,' meddai Tal.

'Yn hollol,' atebodd Llywela.

'Dwi'n hardd ac mae'r bwystfil yn hyll. Yn hyll IAWN,' meddai Tal oedd newydd weld Crafydd yn brysio'n ôl gan chwifio'r camera. Rhwbiodd Tal ei ddwylo'n falch. Cyn hir byddai pawb drwy'r byd yn crynu wrth weld y bwystfil erchyll a grewyd ganddo fe, Tal Slip. 'Cer o'r ffordd, Llywela,' meddai'n swta, gan amneidio ar Crafydd i ddod â'r camera ar ras.

Roedd y chwys wedi diflannu oddi ar wyneb Crafydd, a gwên bwysig wedi cymryd ei le. Wrth frysio o'r Mynyddoedd Sbwriel, roedd e wedi cael cip cyflym ar y llun roedd e newydd

ei dynnu. Roedd e'n wych, a'r pryfyn yn edrych mor goch â deinosor sy wedi colli'i dymer. **Waw!** Mi fyddai Tal wrth ei fodd, a byddai e, Crafydd, yn siŵr o gael dwywaith mwy o fwyd na phawb arall. Teirgwaith, falle! Sgipiodd Crafydd yn llon at ei bennaeth, plygu'i ben o'i flaen, ac estyn y camera iddo.

Syllodd y pen-Cog ar y llun a thynnu anadl sydyn. Gwenodd Crafydd yn lletach fyth. Unrhyw funud nawr byddai Tal yn gweiddi, 'Ardderchog! Tair bloedd i Crafydd, y ffotograffydd gorau yn y byd. Hip Hip . . .'

'***YYYYYYYYYYYYYYYYYYYYY?***'

Chwythwyd Crafydd i'r llawr wrth i anadl Tal Slip hisian drwy'i ddannedd. Chwythodd gwynt arall dros ei ben wrth i'r camera gael ei daflu'n chwyrn.

Pwyntiodd bys cynddeiriog tuag ato a disgynnodd cawod o boer o'i gwmpas.

'**DIM BWYD I TI!!!!!!!!**' rhuodd Tal Slip.

Rholiodd Crafydd tuag yn ôl mewn panig. Chwarddodd y Cogs eraill a rhedeg i godi'r camera er mwyn edrych ar y llun.

'**Oooooooooo!**'

Diflannodd y wên oddi ar eu hwynebau. Roedden nhw wedi disgwyl gweld llun erchyll, ond nid un mor erchyll â hwn. Syllon nhw mewn braw ar Tal Slip, oedd yn chwyddo fel draig enfawr. Roedd ei wefusau'n crynu. Disgwyliai pawb weld tân yn saethu o'i geg.

Agorodd y geg ryw fymryn. Daeth sŵn fel cath yn canu grwndi allan ohoni: '**Rrrrrrrrrrr**.'

Cynyddodd i sŵn dril, '**RRRRRRRRRRRR**' Ac yna i sŵn jet yn hedfan yn gyflym ac isel dros yr ynys: '**RAAAAAAAAAAAAA!**' Â'i ben i lawr, dechreuodd Tal Slip redeg fel tarw, ac oni bai bod pawb wedi neidio o'r ffordd, mi fydden nhw i gyd wedi cael eu gwasgu'n fflat fel crempog. Trawodd Tal yn erbyn coeden a disgyn ar y llawr, ei ben yn troi.

'Y ffŵl!' chwyrnodd Angelbert wrth Crafydd. 'Edrych be wyt ti wedi'i wneud. Rwyt ti wedi gwylltio'r pennaeth.'

'Twpsyn!' brathodd Llywela.

'Dylet ti gael dy yrru oddi ar yr ynys,' meddai Wag yn finiog.

'**O-o-o-o-o-o-o-o-o!**' igiodd Crafydd. 'Be ydw i wedi'i wneud? Be sy'n bod? Ydy wyneb y bwystfil yn rhy goch?'

'**Y?**' Doedd Angelbert ddim wedi sylwi ar y bwystfil. Cymerodd sbec arall ar y llun. '**Hm!**' meddai. 'Ydy mae e'n goch, ond beth yw'r ots am y bwystfil?' Gwgodd eto.

'Ond . . .' Doedd Crafydd ddim yn deall. Igiodd eto a sbecian ar ei bennaeth druan oedd yn dal i orwedd ar lawr.

Fel arfer, Crafydd fyddai'r cyntaf i gynnig help llaw iddo, ond roedd arno ormod o ofn mynd yn agos am fod Tal Slip wedi rhuo mor gas. Doedd y peth ddim yn deg. Roedd e wedi gwneud ei orau i dynnu llun. Gan snwffian, fe estynnodd Crafydd ei law am y camera a sbecian ar y llun hwnnw.

'**AAAAAAAAAAA!**' Disgynnodd y camera o'i law a glanio ar droed Angelbert. Nawr roedd e'n deall pam oedd Tal wedi rhuo. Agorodd Crafydd ei geg a rhuodd yntau hefyd. Roedd e wedi gweld rhywbeth erchyll yng nghornel y llun. '**RAAAAAAAAAAA!**' rhuodd a'i lais yn codi'n sgrech. 'Yn y llun mae . . .'

'Ofnadwy O'Fandal!' rhuodd Tal Slip, gan stryffaglu i godi ar ei draed. 'Mae Ofnadwy O'Fandal yn y llun! Roedd e'n trio cuddio, ond mi weles i e y tu ôl i'r bwystfil.'

Nodiodd pawb. Roedden nhw wedi'i weld e hefyd. **YCHCHCHCHCHCHCH!** Roedd Ofnadwy O'Fandal Jones, y bardd salaf a mwyaf drewllyd yn y byd, yn cuddio ar eu hynys nhw.

'Mae e wedi dod yma i drio dwyn y bwystfil,' gwaeddodd Tal Slip.

'Rhaid i ni ei stopio!' sgrechiodd y Cogs eraill.

Pob un ond un. Yr un hwnnw oedd Crafydd ap Burum. Roedd golau'n disgleirio yn llygaid Crafydd. Sythodd ei ysgwyddau fymryn. 'Oni bai amdana i, fyddai neb yn gwybod ei fod e yma,' meddai mewn llais bach ond balch. 'Fi dynnodd ei lun.' Syllodd ar ei bennaeth â gwên ddisgwylgar ar ei wyneb.

Ond wnaeth y wên ddim para mwy nag un eiliad.

'Y FFŴŴŴŴL!' rhuodd Tal Slip. 'Am wastraff amser! Pam na fuaset ti wedi'i lyncu'n fyw yn lle tynnu'i lun, neu o leia ei daflu i'r pantri tanddaearol?'

'Ie, Crafydd, pam?' snwffiodd pawb arall.

'Fe wna *i* ei lyncu e!' gwaeddodd Angelbert, a dechrau rhedeg ar garlam tuag at y Mynyddoedd Sbwriel.

Ymhell cyn cyrraedd y Mynyddoedd, roedd Tal Slip wedi gwthio Angelbert o'r ffordd. Tal ei hun arweiniodd y Cogs ar draws yr ynys.

Roedd y ddaear yn crynu o dan eu traed. Roedd adar yn codi o'r coed ac yn hedfan ar frys i wledydd pell. Roedd chwyrniadau'r Cogs yn gyrru cryndod drwy ddyfroedd Cors Eth.

Roedd pawb ymhell ac agos wedi clywed y sŵn – pawb heblaw dau.

Roedd y ddau hynny'n gwenu'n hapus ac yn breuddwydio am heulwen braf, awyr las a nant y mynydd. Roedd eu meddyliau mor llawn o bethau hyfryd nes bod dim lle i synau cas. Hymiai un yn hapus wrth wylio'i ffrind yn sgrifennu geiriau ar bapur.

Felly, chlywson nhw mo'r Cogs yn carlamu. Chlywson nhw mo Tal yn stopio'n stond o fewn trwch blewyn i'r Mynyddoedd Sbwriel a'r lleill yn taro – **CLATSH!** – yn ei erbyn. Welson nhw mo wyneb Tal yn cochi fel dur mewn ffwrnais, na'i weld yn sgyrnygu ac yn codi'i ddwrn yn fygythiol.

Roedd Tal wedi bwriadu dal Rhoj, ei daflu i bantri tanddaearol, ac achub y pryfyn o afael y bardd salaf a mwyaf drewllyd yn y byd i gyd. Roedd e'n disgwyl gweld y pryfyn yn rholio ar y llawr mewn poen a'i ddwylo dros ei glustiau ar ôl gwrando ar Ofnadwy O'Fandal yn rwdlan.

Ond beth oedd hyn? Roedd y ffŵl pryfyn yn edrych fel petai e'n mwynhau ei hun. A doedd e ddim yn edrych yn fwystfilaidd o gwbl. A dweud y gwir, roedd e'n edrych yn ANNWYL!

'**AAAAAAAAAAA! DWI'N MYND I DDIAL AR Y DDAU OHONOCH CHI!**' rhuodd Tal Slip mor uchel nes bod esgyrn a thuniau'n rholio o'r Mynyddoedd Sbwriel ac yn disgyn ar ben y ddau fardd. Sylwodd y ddau o'r diwedd – ond yn rhy hwyr! Cipiwyd y papur o law Rhoj, ei sgrwnsian a'i daflu i'r llawr. Torrwyd y beiro yn ei hanner.

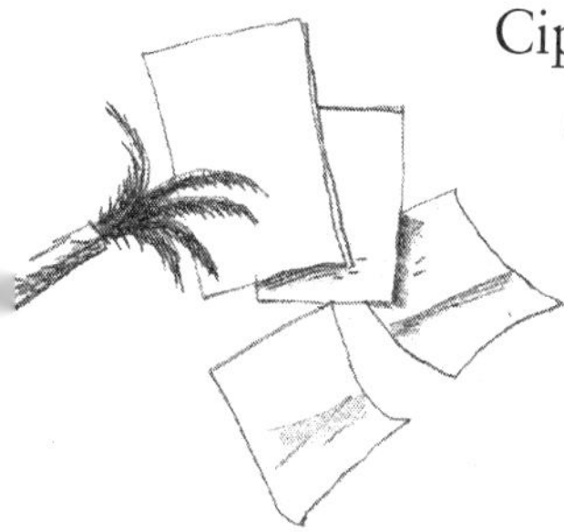

Cyn i'r pryfyn na Rhoj allu symud cam, roedd y Cogs wedi gafael yn y ddau a'u codi fel dau rolyn o garped. Fe'u cariwyd ar garlam ar draws ynys y Cogs a'u taflu i bantri tanddaearol.

Caewyd y drws uwch eu pennau â chlep uchel.

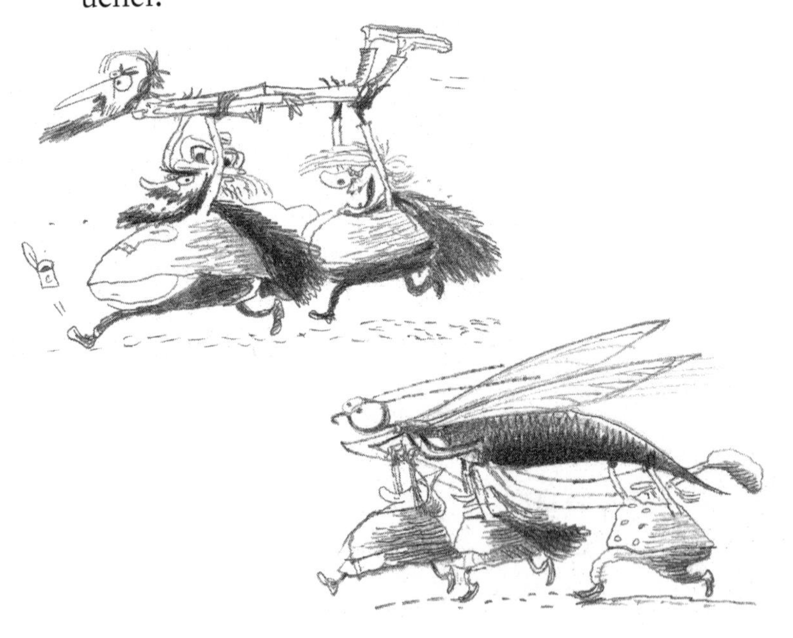

He . . ! Aw! Na!

Clywodd Twmcyn a Fel y glep. Roedden nhw wedi clywed y rhuo hefyd. Oni bai eu bod nhw'n rhedeg mor gyflym, a'u calonnau'n curo fel dwy set o ddrymiau, mae'n bosib y bydden nhw wedi nabod lleisiau'r Cogs.

Ond wnaethon nhw ddim. Roedd Fel wedi anghofio am y Cogs am y tro. Roedd ei meddwl yn llawn o BRYFYN! Roedd hi'n dychmygu'r pryfyn enfawr yn rhuo wrth sugno a llowcio'i thad. Erbyn iddi nesáu at y Mynyddoedd Sbwriel, roedd y sŵn wedi tawelu. Roedd hynny'n waeth, os rhywbeth. Am y tro cyntaf er pan oedd hi'n bedair oed, fe gydiodd Fel yn llaw Twmcyn a chripiodd y ddau yn nes at y pentyrrau erchyll.

Symudodd cysgod ar draws eu llwybr. Roedd rhywun yn symud dros y llecyn gwastad rhwng y mynyddoedd. 'Da-a . . !' galwodd Fel yn grynedig, ond gwasgodd Twmcyn ei law dros ei cheg.

'**Sh!**' sibrydodd. 'Rhaid i ni fod yn barod i ymladd y pryfyn. Cydia yn hwn.' Cydiodd mewn asgwrn oedd yn sticio allan o'r mynydd a'i estyn i Fel.

'**Na,**' gwichiodd Fel, oedd yn feji. 'Fe gymera i hwn.' Cydiodd mewn brwsh-i-olchi'ch-cefn-yn-y-bath. Roedd hwnnw fel newydd, achos doedd y Cogs erioed wedi'i ddefnyddio. Sleifiodd y ddau rhwng dau fynydd a sbecian.

'**O!**' llefodd Fel, gan frathu'i gwefus. Cronnodd dagrau yn ei llygaid. Roedd rhywbeth mawr du, erchyll yn cripian rhwng y sbwriel a doedd dim sôn am Dad. Cododd y peth du ddarn o bapur oddi ar y llawr. '**O na!** Mae e'n sychu'i geg ar ôl bwyta Dad!' sgrechiodd. 'Y creadur digywilydd!' Â sgrech dorcalonnus, a heb boeni dim amdani'i hun, fe ruthrodd at y peth du erchyll.

Wrth ruthro, fe sylweddolodd mai pedair 'coes' oedd gan y peth du ac nid chwech. A dau lygad o faint cyffredin, nid rhai enfawr. Rhy hwyr! Roedd y pen wedi codi a'r ddau lygad yn syllu arni. Roedd gwên fawr yn lledu dros yr wyneb du, a bys yn pwyntio.

'**IA-HW!**' sgrechiodd Angelbert (achos dyna pwy oedd hi). Roedd hi wedi nabod Fel. '**Rwyt ti fel plataid enfawr o byrgyr a tships a sôs coch!**' sgrechiodd.

AAA AAA AAA

AAA AAA AAA

AAA AAA AAA!

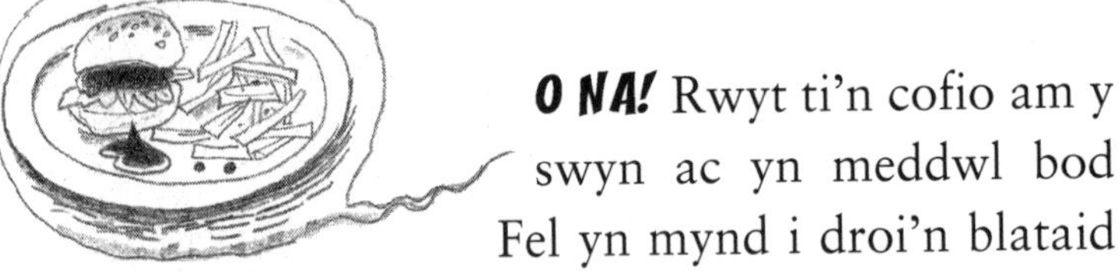

O NA! Rwyt ti'n cofio am y swyn ac yn meddwl bod Fel yn mynd i droi'n blataid enfawr o byrgyr a tships a sôs coch, yn dwyt? Roedd Angelbert yn meddwl hynny hefyd – ond drwy lwc rwyt ti a hithau'n anghywir. Yn y lle cyntaf, roedd plygiau Fel yn sownd yn ei chlustiau, felly doedd hi ddim wedi clywed y gair '**fel**'. Yn ail, dyw Fel ddim ond yn newid ei siâp pan fydd rhywun yn gwneud cymhariaeth o ddifri calon. Os wyt ti'n dweud, '**O, Fel, rwyt ti'n edrych fel bwgan brain**' – ac yn credu hynny – mi wnaiff hi droi'n fwgan brain. Ond os nad wyt ti'n credu hynny, wnaiff hi ddim.

Nawr, doedd Angelbert ddim wir yn credu bod Fel yn debyg i blataid enfawr o byrgyr, tships a sôs coch. Felly, er siom fawr i'r Cog, wnaeth Fel ddim newid o gwbl. Nid yn unig roedd hi'n dal yn ferch, ond roedd hi'n sefyll o flaen Angelbert ac yn gweiddi'n daer, 'O, Angelbert! Wyt ti wedi gweld Dad?'

'**Rymff!**' snwffiodd Angelbert.

Ar ôl cloi'r pryfyn a Rhoj yn y pantri, roedd Angelbert wedi cripian yn ddistaw bach i'r Mynyddoedd Sbwriel i chwilio am y darn papur roedd hi wedi gweld Tal yn ei sgrwnsian a'i daflu ar lawr. Ar y papur roedd cerdd gan Ofnadwy O'Fandal, ac roedd Angelbert eisiau gweld pa mor wael oedd y gerdd. Roedd hi newydd godi'r papur pan gyrhaeddodd Fel. Cuddiodd y papur yn gyflym y tu ôl i'w chefn.

Doedd hi ddim yn ddigon cyflym.

'O, Angelbert!' gwaeddodd Fel yn llawn cyffro. 'Mae sgrifen Dad ar y papur yna! Plîs dere ag e i fi!'

'**Na!**' meddai Angelbert.

'O, plîs!' erfyniodd Eth. 'Fe gei di un arall yn ei le.' Gollyngodd y brwsh golchi-cefn o'i llaw, agor y ffeil binc oedd yn ei llaw arall, a thynnu cerdd allan.

'Iawn?' meddai wrth Angelbert. 'Swop?'

Aeth llygaid Angelbert yn gul, gul. Nodiodd a gwylio llaw Fel yn dod tuag ati. Yn ara' bach estynnodd hithau'r belen o bapur.

PLWC!

RHWWWWWYG!

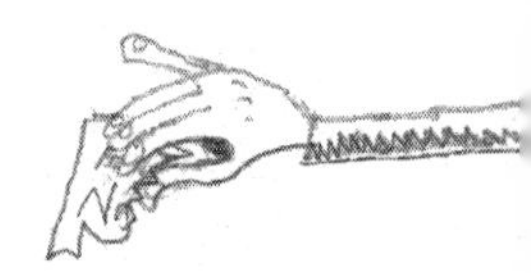

'O, Angelbert!' llefodd Fel. Roedd y belen bapur wedi rhwygo a dim ond cornel bach ohoni oedd yn ei llaw.

'**Hi hi hi!**' chwarddodd Angelbert. Roedd hi wedi llwyddo i gael y papur o law Fel, ond doedd hi ddim wedi gollwng gafael ar ei phapur ei hunan. Nawr roedd ganddi ddau ddarn o bapur, a stwffiodd nhw'n gyflym i boced ei sgert.

'Dyw hynna ddim yn deg!' meddai Fel mewn panig.

'Ddim yn deg. Cau dy geg,' meddai Angelbert yn fodlon.

Ochneidiodd Fel yn drist ac edrych ar y mymryn papur yn ei llaw. Crynodd y papur fel deilen. Sbeciodd Twmcyn dros ei hysgwydd. Crynodd yntau hefyd. Ddwedodd y ddau 'run gair, dim ond syllu ar res o eiriau yn sgrifen Rhoj.

Llyncodd Twmcyn. 'Help' oedd y gair cyntaf, mae'n siŵr. Rhaid bod Rhoj druan wedi sgriblan neges yn gofyn am help, tra oedd y pryfyn yn ei gnoi. Trodd at Angelbert a gofyn yn chwyrn, 'Wyt ti'n gwybod ble mae Rhoj?'

Gwibiodd llygaid Angelbert yn slei.

'Yd . . . ydy e'n ddiogel?' crawciodd Fel, a'i llygaid yn fawr ac yn llawn dagrau.

Gwibiodd llygaid Angelbert eto, ac yna fe nodiodd.

'O, diolch byth!' gwaeddodd Fel. 'Wyt ti'n gwybod ble mae e nawr?'

Gwenodd Angelbert a dangos ei dannedd duon. Gwenu go iawn, hefyd. Er bod Angelbert wedi'i siomi gan y diffyg byrgyr, tships a sôs, roedd hi newydd sylweddoli bod ganddi ddau reswm arall dros godi'i chalon. Roedd y ddau reswm hynny'n sefyll yn ei hymyl.

'Ydw. Dewch gyda fi!' meddai gan chwerthin, a throi i gyfeiriad y llannerch yng nghanol yr ynys.

Swyn y Trwyn

Roedd synau rhyfedd yn dod o'r llannerch – sŵn **gritsh-gratsh-malu-malu-malu** a sŵn **tic-tic-tic-tic-tic**. Sŵn Tal Slip yn crensian ei ddannedd mewn tymer oedd y cyntaf, a sŵn dannedd gweddill y Cogs yn rhincian mewn braw oedd y llall. Llygadodd Angelbert y ddau blentyn i weld a oedden nhw wedi clywed y sŵn.

Oedden! Roedd eu hwynebau'n llawn dychryn. Gobeithio na wnân nhw ddim rhedeg i ffwrdd, meddyliodd Angelbert, ac yn gyflym iawn meddai, 'Mae'r gnocell y coed yn swnllyd iawn heddiw.'

'O, sŵn cnocell y coed yw e!' meddai Fel gan ochneidio'n falch.

Ochneidiodd Twmcyn hefyd – ond yn drist. Doedd e ddim yn cofio gweld cnocell y coed ar yr ynys fechan yng nghanol

Cors Eth. Mwy na thebyg bod y Cogs wedi'u bwyta nhw i gyd.

'F . . . Fel,' sibrydodd. 'Bydd yn ofal–' Tagodd. Roedd llaw fawr gref wedi gafael yn ei arddwrn a gwneud iddo ollwng yr asgwrn. Cydiodd llaw arall yn Fel a gwneud iddi hi ollwng ffeil Dad. Yna, gyda bloedd fawr o '**Ia-hw!** 'Drychwch be sy gen i!' fe roddodd Angelbert blwc i'r ddau a'u llusgo o flaen y criw o Cogs oedd yn crensian a rhincian.

Stopiodd y crensian ar unwaith, a neidiodd Tal Slip ar ei draed. Hoeliodd ei lygaid ar Fel.

'B . . . Ble mae Dad?' gwichiodd Fel gan edrych o'i chwmpas yn wyllt. Roedd pair mawr yn ffrwtian dros dân agored yng nghanol y llannerch, ac oglau ffiaidd yn codi ohono. 'Ble mae Dad?' llefodd.

‘**HAR-HAR-HAR-HAR!**’ atebodd Tal Slip, a’i dymer wyllt wedi diflannu’n llwyr.

‘Ble mae e, Angelbert?’ gofynnodd Fel yn grynedig a throi at y Cog oedd wedi addo’i helpu.

Chymerodd Angelbert ddim sylw ohoni. Roedd hi’n gwenu fel gât ar Tal Slip, ac yn teimlo’n falch iawn ohoni’i hun. Roedd hi, Angelbert Iymi-binc, wedi dal y ferch oedd yn newid ei siâp, on’d oedd? Byddai Tal mor ddiolchgar!

‘Tal,’ meddai. ‘Dwi . . .’

‘Ca’ dy geg!’ gwaeddodd Tal ar ei thraws, gan syllu ar Fel a gwenu gwên fawr farus. **WAW-I!** Edrychodd y pen-Cog ar ei watsh. Cyn hir fe fyddai Tili Lagwna a’i chriw yn cyrraedd yr ynys fechan i ffilmio *Doctor Slip a’i Fwystfil.* Nawr fe allai gynnig ail ffilm iddi: *Doctor Slip a’i Fwyst-FEL*!

WWWWWWWAW! Tasgodd gwreichion o gyffro o lygaid Tal Slip. Byddai pawb dros y byd i gyd yn rhyfeddu pan welen nhw’r Bwyst-FEL, y ferch oedd yn gallu newid ei siâp. Doedd neb tebyg i Fel yn y byd mawr crwn – a fe, Tal Slip, oedd wedi’i chreu. Am gamp! Ac am lwc ei fod e wedi’i dal hi! Pwniodd yr awyr. Ond ar ganol pwnio, sylwodd Tal fod y ferch yn edrych yn hollol *boring* a chyffredin ac mor dwp â'i thad. **Iych!** Fyddai Tili Lagwna byth yn credu ei bod hi'n ferch ryfeddol, os na allai weld hynny â'i llygaid ei hunan. **Hm!** Cliciodd y pen-Cog ei fysedd.

'Camera!' gwaeddodd yn groch. 'Pawb i nôl camera!'

'Pawb?' gofynnodd Angelbert, a dangos ei bod hi'n dal i afael yn Fel a Twmcyn.

'Ti, Llywela, Crafydd a Wag,' meddai Tal.

'Ond beth os bydd ein ymwelwyr yn dianc?' holodd Angelbert.

'Pam bydden nhw'n gwneud hynny?' atebodd Tal, gan wenu'n greulon i wyneb Fel. 'Mae'r ferch wedi gofyn cwestiwn.' Mewn llais bach dwl, oedd yn esgus dynwared Fel, gwichiodd, 'Ble mae Dad?'

'Ie, ble mae e?' erfyniodd Fel. 'Plîs . . .'

Ysgydwodd Tal ei fys. 'A fyddet ti ddim yn mentro rhedeg i ffwrdd cyn i fi ateb y cwestiwn, fyddet ti?' meddai wrth Fel.

'Plîs atebwch,' meddai Fel yn wylaidd. 'Mae Dad wedi cael ei gipio gan bryfyn enfawr, a dwi eisiau gwneud yn siŵr ei fod e'n ddiogel.'

Nodiodd Tal, a gwenu'n slei y tu ôl i'w farf. Gwyddai nad oedd Ofnadwy O'Fandal yn ddiogel o gwbl. Roedd e mewn perygl enbyd, ac nid o achos y pryfyn. Chwarddodd y pen-Cog ac esgus tagu.

'Plîs,' meddai Fel eto.

'Iawn,' meddai Tal.

Ochneidiodd Fel yn hapus. Ochneidiodd Twmcyn hefyd, ond nid yn hapus. Gollyngodd Angelbert y ddau ohonyn nhw'n rhydd, a stelcian i ffwrdd i nôl camera.

Amneidiodd Tal ar Fel i fynd yn nes. 'Fe ddweda i wrthot ti ble mae dy dad, achos dwi'n ddyn caredig,' sibrydodd yn ei chlust.

'Roeddech chi'n arfer bod yn ddyn caredig iawn,' atebodd Fel.

'Mi a' i â ti at dy dad, hyd yn oed,' meddai Tal.

'O, hwrê!' gwaeddodd Fel.

'Ond yn gynta dwi am daro bargen,' meddai Tal Slip.

'O,' meddai Fel, gan gofio beth ddigwyddodd pan driodd hi daro bargen ag Angelbert. 'Beth yn union?'

'Dwi am i ti newid dy siâp,' atebodd y pen-Cog.

Plymiodd calon Fel i wadnau'i thraed. I achub Dad, roedd hi'n fodlon gwneud unrhyw beth. Unrhyw beth! Hyd yn oed newid ei siâp. Heb ddweud gair, fe dynnodd y plygiau o'i chlustiau a'u rhoi yn ei phoced. Oedd, roedd hi'n fodlon gwneud unrhyw beth, ond doedd Tal Slip ddim yn deall ei swyn ei hunan.

Hyd yn oed heb y plygiau, allai hi ddim penderfynu, 'O, dwi eisiau bod yn domato' ac yna newid. Roedd y swyn yn rhy gymhleth. Ond sut oedd modd egluro hynny i'r Cog? Syllodd arno a'i hwyneb yn crychu mewn gofid.

'Wel?' meddai Tal yn ddiamynedd. Pam nad oedd y ferch yn gweiddi, 'Iawn! Mi wna i! Dim problem!' yn lle syllu arno a sgrwnsian ei hwyneb fel cyrensen? **'Pam wyt ti'n edrych fel cyrensen?'** holodd Tal yn chwyrn. **'Pa . . . AAAAAA!'** sgrechiodd wrth i Fel ddiflannu o flaen ei lygaid. Sgrechiodd eto pan deimlodd

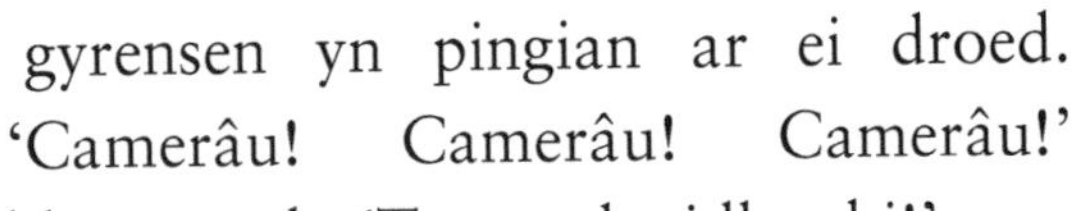

gyrensen yn pingian ar ei droed.

'Camerâu! Camerâu! Camerâu!' gwaeddodd yn groch. 'Tynnwch ei llun hi!'

'**Yyyyy?**' Safai Angelbert, Llywela, Wag a Crafydd mewn cylch o gwmpas y llannerch, pob un yn syllu drwy lens ei gamera. Ble oedd y ferch? Doedd dim sôn amdani yn unman.

'Ble mae hi, Tal?' galwodd Wag.

'Ar y llawr, y twpsod!' gwaeddodd Tal, a gwichian wrth i Twmcyn ei hyrddio o'r ffordd.

'Bron i chi sefyll ar ben Fel!' llefodd Twmcyn, a chipio cyrensen o'r pridd.

'Dere â hi'n ôl,' chwyrnodd Tal, a tharo'r gyrensen o'i law.

Wrth i'r gyrensen syrthio, fe newidiodd yn ôl yn Fel.

'Gawsoch chi lun?' sgrechiodd Tal ar y ffotograffwyr.

Cliciodd pedwar camera. Nodiodd y pedwar Cog.

Chwyrnodd Tal nes bod y mwg yn codi o'i glustiau. Roedd e'n amau bod y pedwar ffŵl wedi methu.

'Gawsoch chi lun y gyrensen?' gofynnodd drwy'i ddannedd.

'Cyrensen?' meddai'r pedwar ac edrych o'u cwmpas yn syn. 'Pa gyrensen?'

Cododd rhagor o fwg o glustiau Tal Slip. Gwasgodd ei ddannedd yn dynnach.

'Rhaid i ti newid eto,' meddai'n swta wrth Fel. 'A'r tro hwn newidia'n fwy araf a glanio ar fy llaw.' Gwaeddodd dros ei ysgwydd ar y ffotograffwyr. 'Mae hi'n mynd i droi'n gyrensen eto. Dewch yn nes, a pheidiwch â methu'r tro hwn, neu . . .' Sgyrnygodd y pen-Cog. Allai e ddim meddwl am gosb ddigon erchyll i'r pedwar. Sythodd ei ysgwyddau ac estyn ei law o dan drwyn Fel. 'Rwyt ti'n edrych fel cyrensen,' meddai'n ddramatig, gan chwifio'i law arall fel cylchfeistr mewn syrcas.

Ddigwyddodd dim byd.

'Rwyt . . . ti'n . . . edrych . . . fel . . . cyrensen,' meddai Tal yn fwy araf.

Dim. Roedd ei law'n wag a'r ferch yn dal i syllu arno.

'Rwyt ti'n edrych fel cyrensen!' gwaeddodd Tal ar dop ei lais.

'Tal,' meddai Fel yn ofalus. 'Dwyt ti ddim yn deall y swyn.'

'Ydw!' rhuodd Tal. 'Fi sy wedi bwrw'r swyn yn y lle cyntaf. Dwi'n ei ddeall e'n iawn. Dy fai di yw e. Ti sy'n stiwpid ac yn pallu newid.'

'Tal . . .'

'Dy fai di yw e!' rhuodd Tal ar ei thraws. 'Rwyt ti'n bla!'

'Tal . . .'

'Rwyt ti'n niwsans. Rwyt ti'n boen,' sgrechiodd Tal. '**Rwyt ti fel cornwyd coch enfawr ar flaen fy nhrwyn! AAAAAA!**'

Cododd llaw Tal at ei drwyn. Ar yr union eiliad honno fe gliciodd pedwar camera.

'**Wwww! Aaaaaaa!**' gwichiodd y pen-Cog. Llifai dagrau i lawr ei fochau oherwydd bod ei drwyn mor boenus. Roedd e'n teimlo fel mynydd tân. '**Wwww! Aaaaaa!**' Croesodd ei lygaid ac edrych i lawr. **O na!** Roedd 'na gornwyd melyngoch enfawr ar flaen ei drwyn!

'**Clic!**' meddai'r camerâu.

'**Na!**' sgrechiodd y pen-Cog, gan wasgu'i law dros ei wyneb. 'Peidiwch â thynnu fy llun i. Dwi'n edrych yn ofnadwy. Mae 'na gornwyd

coch enfawr
ar flaen fy
nhrwyn i.
'**AAAA!**' Roedd
rhywbeth yn
gwasgu yn erbyn ei law.
Roedd y cornwyd yn ffrwydro!

Baglodd Tal Slip tuag yn ôl. '**O na!**' llefodd. Roedd e'n siŵr bod ei drwyn wedi chwythu'n chwilfriw. 'Sut galla i ymddangos mewn ffilm heb fy nhrwyn?'

'Mae dy drwyn di'n iawn, Tal,' meddai llais swta uwch ei ben. Angelbert oedd yn siarad, ac yn sefyll yn ei hymyl roedd y ferch salw.

'**Y?**' holodd Tal. Oedd hi'n dweud celwydd? Cripiodd ei fysedd yn ofalus tuag at y trwyn harddaf, mwyaf nobl, yn y byd mawr crwn. Caeodd ei fysedd amdano ac ochneidiodd yn falch.

'Y ferch 'na drodd yn gornwyd a sticio ar dy drwyn di,' meddai Angelbert, a chodi'i chamera. 'Fe gawson ni luniau ffantastig ohonot ti a'r cornwyd.'

'**NAAAAA!**' rhuodd Tal a neidio ar ei draed. 'Dwi ddim eisiau llun ohona i â chornwyd ar fy nhrwyn!'

Cipiodd y camera o'i llaw a'i daflu â'i holl nerth i gyfeiriad Cors Eth. Rhuthrodd at y Cogs eraill a chipio'u camerâu hwythau. Clywyd **SBLASH!** enfawr wrth i'r tri ddisgyn i ddyfroedd brown y gors. 'Ffyliaid!' gwaeddodd ar y Cogs, gan ruo fel tarw gwyllt.

Arhosodd Angelbert iddo dawelu cyn plethu'i breichiau a gofyn, 'A SUT wyt ti'n mynd i dynnu llun y ferch nawr?'

Cyrliodd gwefusau Tal dros ei ddannedd duon. Roedd e wedi cael llond bol o'r ferch. Roedd e wedi cael llond bol o swynion. Ond doedd e DDIM wedi cael llond bol o ginio. Byddai'n teimlo'n well ar ôl dysglaid o . . .

'Be sy i bwdin heddiw, Monsieur Cog?' galwodd ar y cogydd o Ffrainc.

'Lemon orrrang-wtan,' galwodd Monsieur Cog, a chusanu blaenau'i fysedd.

'Hm!' meddai Tal Slip. Doedd 'na'r un orang-wtan yn byw'n agos at ynys y Cogs. Roedd e'n amau bod Monsieur Cog

yn defnyddio hen sgidiau yn y rysáit. Dim ots. Fe fyddai ’run mor flasus. ‘Plataid enfawr i fi,’ gwaeddodd.

‘Ond beth amdanon ni, Tal?’ gofynnodd Llywela ar ran gweddill y Cogs.

‘Tra bydda i’n bwyta, gallwch chi ddal y ddau greadur ’na a’u taflu i’r pantri tanddaearol,’ atebodd Tal, gan ddisgyn i’w gadair bren.

‘Ond Tal,’ llefodd Fel wrth i ddwylo mawr blewog afael ynddi hi a Twmcyn. ‘Rwyt ti wedi addo mynd â fi at Dad!’

‘A dwi wastad yn cadw fy addewidion,’ atebodd Tal, gan grechwenu a chwifio’i law.

Mmmmmmm!

Ciciodd Twmcyn ei goesau'n wyllt.

Dim iws.

Triodd chwifio'i ddyrnau.

Dim iws.

Allai Fel ddim meddwl am gicio na chwffio. Roedd hi'n dal heb ddod dros y sioc o fod yn gornwyd ar drwyn Tal Slip. Beth allai fod yn waeth?

Wel, roedd hi a Twmcyn yn cael eu cario fel dau rolyn o garped tuag at garchar tanddaearol. Roedd hynny *yn* waeth. Clywodd Fel sŵn yr allwedd yn troi, ac yna – **SHHHHHLWMP!** – cafodd Twmcyn a hithau eu lluchio i dwll drewllyd yn llawr yr ynys. Glaniodd y ddau yn un swp ar waelod grisiau'r pantri, ac am funudau hir doedd dim sŵn i'w glywed ond ochneidiau'r ddau yn sgubo fel corwynt drwy'r carchar tywyll.

'**O!**' griddfanodd Fel, a chodi ar ei dau benelin. Allai hi ddim gorwedd fan hyn.

Roedd yn *rhaid* iddi achub Dad. Dechreuodd godi ar ei heistedd.

'**Bsssss**.'

Disgynnodd Fel yn ôl ar ei chefn. 'Glywest ti sŵn?' crawciodd yng nghlust Twmcyn.

'Do . . .'

'**Bsssss**.'

Neidiodd y ddau ar eu traed a chlosio'n dynn at ei gilydd.

'P . . . pryfyn!' sibrydodd Fel.

'Ie, ond dim ond pryfyn bach,' atebodd Twmcyn. 'Pryfyn cyffredin.'

'Ie,' meddai Fel a gollwng ei gafael ar ei ffrind. Rhag ei chywilydd yn poeni am bryfyn bach pan oedd Dad druan wedi'i ddal gan bryfyn ENFAWR! 'Rhaid i fi i ddianc a mynd i chwilio am Dad,' sibrydodd, rhag ofn bod y Cogs yn gwrando. 'Dwi'n mynd i edrych am ryw arf y galla i ei ddefnyddio i dorri'r drws.'

I ffwrdd â Fel ar ei phedwar, gan deimlo'r llawr o'i blaen. '**W!**' Cyn pen dim roedd hi'n gwichian yn gyffrous, 'Mae 'na rywbeth fan hyn. Rhyw fath o wifren dew.'

'**Bssss!**'

'Fe ddo i draw i dy helpu di,' meddai Twmcyn. Cripiodd drwy'r tywyllwch at Fel. Plygodd yn ei hymyl ac estyn am y weiren.

'Barod i godi?' meddai Fel. 'Ar ôl tri. Un, dau, TRI . . .'

'**BSSSSSSSSSSSSS!**'

'**AAAAAA!**' sgrechiodd Fel a Twmcyn wrth i'r wifren neidio o'u dwylo. Roedd hi'n sownd wrth rywbeth, a'r rhywbeth hwnnw'n hymian yn boenus uwch eu pennau.

'Y pryfyn enfawr yw e!' sgrechiodd Twmcyn, a baglu tuag at yn ôl. 'Ei goes e oedd y wifren!'

'Y pryfyn enfawr!' sgrechiodd Fel. '**O!** Ble mae Dad? Ble mae Dad?' Hyrddiodd ei hun i gyfeiriad y pryfyn a chwifio'i dyrnau.

'**BSSSSSS!**' llefodd y pryfyn.

'Fel!' gwichiodd llais syn.

'**Y?**' Llais Dad oedd yn galw arni!

'Dad, ti sy 'na?'

'Ie!' meddai Dad. 'Dwi . . .'

'Paid â phoeni, Dad,' torrodd Fel ar ei draws. 'Chaiff y pryfyn mo dy lyncu di.' Dechreuodd gwffio'r awyr.

'Fel! Fel! Fel!' meddai Dad a rhoi plwc iddi. 'Paid!'

'Mae tri ohonon ni, Dad!' meddai Fel. 'Mae Twmcyn yma hefyd. Tri yn erbyn un. Fyddwn ni fawr o dro'n llorio'r pryfyn.'

'Fel!' crefodd Dad. 'Mae'r pryfyn yn ffrind i fi!'

'**Y?**' Disgynnodd Fel yn erbyn ei thad. 'Ff . . . ffrind?' crawciodd.

'Ie, ffrind,' meddai Dad. 'Pan laniest ti a Twmcyn yn y pantri, fe gadwon ni'n dawel achos roedden ni'n meddwl mai Cogs oeddech chi. Ond cyn hynny roedd y pryfyn a finne'n trafod barddoniaeth.'

'Barddoniaeth?' Llifodd ffrwd o chwys oer dros Fel. Yn amlwg, roedd ei thad druan wedi drysu'n llwyr.

'Does dim yn well na barddoniaeth i godi'r galon mewn carchar tywyll,' meddai Rhoj.

'**Bssssssss**,' cytunodd llais o ben draw'r pantri tanddaearol.

Closiodd Fel at Dad a gafael yn dynn amdano. 'D . . . Dad!' meddai'n grynedig. 'Tria gofio. Roeddet ti mewn perygl, o'nd oeddet ti?'

'Dwi'n dal mewn perygl,' meddai Dad, gan ysgwyd ei ben.

'Achos bod y pryfyn am dy fwyta di.'

'**NA!**' protestiodd Dad a '**BSSSSSS!**' llefodd y pryfyn.

Roedd y pryfyn yn siomedig tu hwnt. Pam oedd y ferch wedi gwasgu'i goes, a pham oedd hi'n dweud pethau cas? Doedd e erioed wedi gwneud drwg i neb. Mae'n wir ei fod wedi cicio'i hunan sawl gwaith â'i chwe choes am fethu achub Rhoj o ddwylo'r Cogs. Pe bai e wedi symud yn ddigon cyflym, fe allai fod wedi codi Rhoj i'r awyr a'i gario'n ôl i Swyddfa Bost Canolbarth Cymru. Oedd, roedd e wedi methu – ond doedd e erioed ERIOED wedi bygwth bwyta'i ffrind.

Ciliodd y siom pan glywodd e Rhoj yn dweud yn glir ac yn groch: 'Paid ag insyltio fy ffrind. Mae e'n bryfyn diwylliedig. Mae e'n *fardd.*'

'Dad,' meddai Fel a gwasgu Dad druan yn dynnach. 'Wyt ti'n cofio sgrifennu llythyr yn gofyn am help?'

'Help i be?' gofynnodd Rhoj.

'I ddianc,' meddai Fel.

'**O?**' Clywodd Fel ei thad yn rhwbio'i farf wrth feddwl. 'Na, wnes i ddim meddwl am sgrifennu llythyr,' atebodd. 'Does dim blwch postio yn y pantri.'

'Cyn i ti ddod fan hyn,' meddai Fel. 'Pan oeddet ti mewn poen yn y Mynyddoedd Sbwriel, wnest ti sgrifennu neges?'

'Poen?' meddai Rhoj, a chwerthin yn llon. 'Sut gallwn i fod mewn poen? O'n i'n sgrifennu barddoniaeth. Fi a'r pryfyn.'

'O, Dad!' sgrechiodd Fel. 'Fe dries i gipio'r neges o law Angelbert, a rhwygodd y papur, ond fe welson ni "**Help! Aw! Na!**" on'd do fe, Twmcyn?'

'Wel, "**He Aw Na**", a bod yn fanwl gywir,' meddai Twmcyn.

'**He Aw Na?**' meddai Rhoj yn feddylgar, ac am eiliad roedd y pantri tanddaearol yn gwbl dawel.

Yr eiliad nesaf fe ledodd dau sŵn bach drwy'r tywyllwch. '**Gigl-igl-igl**' oedd un (gan Rhoj). '**Bssss-hssss-hsss-hssss**' oedd y llall (gan y pryfyn).

'Dad!' chwyrnodd Fel. 'Sut galli di chwerthin?'

'Achos nid neges yw honna,' meddai Dad yn llon. 'Barddoniaeth yw hi!'

'Ba . . ?' Tagodd Fel.

Roedd ei thad yn codi'i ên ac yn parablu mewn llais eisteddfodol:

O-o! Ailadroddodd Fel y geiriau yn ei phen. Caeodd ei llygaid, tynnu anadl ddofn, a suddo fel balŵn.

'"**He**" yw dwy lythyren gyntaf y gair "heulwen",' meddai Rhoj.

'Ie,' ochneidiodd Fel.

'Ac "**aw**" yw dechrau "awyr". A "**na**" yw dechrau "nant".'

'Ie,' ochneidiodd Fel.

'Trueni dy fod ti wedi rhwygo'r papur,' meddai Dad. 'Mae pedwar pennill i gyd. Byddet ti wedi'u mwynhau nhw.'

'**Mmmmmm**,' meddai Fel yn llipa.

'A byddet ti wedi gweld dau enw o dan y pennill ola,' meddai Dad.

'**Mmmmmm**,' meddai Fel eto. Drwy lwc, allai Dad mo'i gweld hi'n sgrwnsian ei hwyneb yn y tywyllwch. Yn ei hymyl roedd Twmcyn yn giglan yn nerfus â'i law dros ei geg.

'Rhonabwy O'Landaf Jones yw un enw,' meddai Rhoj. 'Ac enw'r bardd arall mae'n falch gen i ddweud yw . . . PRY-FARDD!'

'**Mmmmmmm**,' meddai Fel.

SNWFF! Ffrwydrodd gigl Twmcyn dros y lle.

'Pam wyt ti'n chwerthin?' gofynnodd Rhoj yn syn.

'F . . . F . . . F . . .' gwichiodd Twmcyn a'i ymennydd yn gweithio ar ras. Doedd e ddim am i Rhoj feddwl ei fod e'n chwerthin am ei ben. 'Fel sy'n dweud "Mmmmm" o hyd,' meddai'n gyflym. '**Mae hi fel pryfyn bach**.'

'**Bssssssss!**' Yn sydyn teimlodd Fel ei hun yn codi o'r llawr. Roedd hi'n rhy dywyll i weld dim byd, ond roedd hi'n weddol siŵr fod ganddi chwe choes. Ac adenydd! **Fflap fflap!** Oedd, roedd ganddi adenydd. Roedd hi wedi troi'n bryfyn bach. **Waw!** Da iawn. Twmcyn. Heb golli eiliad, fe sŵmiodd Fel i'r awyr ac anelu am y drws trap uwch ei phen. Glaniodd ar ymyl y drws, ac mewn chwinc roedd hi wedi dal ei gwynt a gwthio'i ffordd drwy'r crac rownd y ffrâm.

Cael a chael oedd hi. Eiliad ar ôl cripian i'r awyr iach fe drodd yn ôl i'w siâp cywir. **Whiw!**

Yn y pantri tanddaearol roedd 'na gyffro mawr a lleisiau'n gweiddi ar draws ei gilydd. 'Fel!' '**Bsssssss!**' 'Wyt ti'n iawn?'

'Ydw,' meddai Fel. '**Bsssss**,' ychwanegodd yn swil. Trueni nad oedd hi wedi cael cyfle i siarad â'r pryfyn yn ystod y cyfnod byr y bu hi'n bryfyn ei hunan. Ond roedd hi'n rhy hwyr i hynny. 'Dwi'n cripian draw i nôl yr allwedd,' meddai. 'Fydda i ddim yn hir.'

Roedd Fel yn cymryd ychydig o amser i ddod yn ôl ati'i hun ar ôl newid ei siâp. Cripiodd ar ei phedwar i nôl yr allwedd oedd yn gorwedd dan bot blodyn ger coeden gyfagos. Roedd hi wrthi'n ystwytho'i breichiau ac yn trio magu digon o nerth i godi'r pot, pan glywodd hi lais Cogaidd yn gweiddi o ben draw'r ynys.

'Mae fan enfawr yn dod tuag at y gors! Mae llun camera ar ochr y fan!'

'Y criw ffilmio!' gwichiodd llais yn nes o lawer at Fel.

Ac o rywle'n nes fyth daeth bloedd gan Tal Slip. 'Ewch i nôl y pryfyn a'r ferch o'r pantri. Dewch â nhw ata i. Dewch â nhw NAWR!'

Cog-lais

Roedd y tri yn y pantri wedi clywed ac yn disgwyl â'u gwynt yn eu dwrn i Fel agor y drws. O'u cwmpas roedd waliau'r pantri'n ysgwyd a phob math o fwyd ych-a-fiaidd yn cwympo oddi ar y silffoedd wrth i'r Cogs redeg tuag atyn nhw. Glaniodd cawod o 'bryfed-wedi'u-lapio-mewn-gwe-pry-cop' ar ben y pryfyn. Drwy lwc doedd e ddim yn gwybod be oedden nhw, neu fe fyddai wedi cael siom aruthrol. Glaniodd 'tafodau-nadroedd-wedi'u-rhostio-mewn-finegr-balsamig' ar ben Rhoj a Twmcyn, ond chymeron nhw ddim sylw. Be oedd cawod o dafodau nadroedd o'u cymharu â haid o Cogs mileinig?

O'r diwedd agorodd y drws uwch eu pennau a daeth wyneb gwelw Fel i'r golwg.

'Ar dy ôl di,' meddai Rhoj yn foesgar wrth y pryfyn. Ac yna ychwanegodd yn daer, 'Cydia yn Fel a charia hi'n bell o'r ynys. Chi'ch dau sy mewn perygl.'

Rhedodd cryndod drwy'r pryfyn. Yn y goleuni llwyd oedd yn treiddio i'r gell danddaearol, trodd a syllu'n ddwys i lygaid Rhoj. Deallodd Rhoj ar unwaith.

'Alli di ddim cario pob un ohonon ni, ond paid â phoeni, 'rhen ffrind,' meddai. 'Fe fydda i'n iawn. Er fy mwyn i, rhaid i ti achub dy hun a fy merch. Does gan y Cogs ddim diddordeb yn Twmcyn a minnau.'

'Wel, dim llawer,' snwffiodd Twmcyn, a syllu'n ddiamynedd ar y ddau arall. Oedd, mi oedd y pryfyn yn fardd. Roedd Rhoj yn iawn. Dim ond dau fardd allai sefyll yn stond a rwdlan, pan oedd criw o ganibaliaid erchyll yn anelu amdanyn nhw. 'Symudwch hi!' meddai Twmcyn yn llym ac yn bendant.

O'r diwedd fe symudodd y pryfyn. Roedd e'n mynd i ufuddhau i'w ffrind, ac achub ei ferch, ond cyn gynted ag oedd Fel yn ddiogel, byddai'n hedfan yn ôl at Rhoj. Â '**BSSSSSSS!**' chwyrn a phenderfynol iawn, fe sŵmiodd mor gyflym drwy'r drws trap nes i'r awel a gynhyrchwyd gan ei adenydd daflu Fel i'r llawr. Hofranodd y pryfyn uwch ei phen a chydio yn ei dwylo.

'**RAAAAAAAAA!**' gwaeddodd Tal Slip wrth ffrwydro drwy'r llwyni.

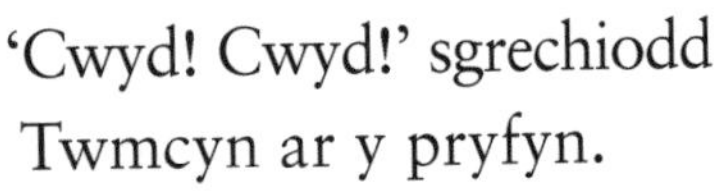

'Cwyd! Cwyd!' sgrechiodd Twmcyn ar y pryfyn.

Fflapiodd y pryfyn ei adenydd yn wyllt a rhoi plwc i Fel. Cododd Fel o'r llawr.

'Uwch! Uwch, 'rhen ffrind,' gwichiodd Rhoj mewn braw.

Roedd y pen-Cog yn lansio'i hun drwy'r awyr. Roedd e'n cydio yn nhraed Fel. Dechreuodd y pryfyn blymio tua'r ddaear, ond gydag ymdrech anhygoel fe fflapiodd ei adenydd a llusgo tuag at i fyny. Hedfanodd Fel i'r awyr â Tal Slip yn sownd wrth ei thraed.

'Rhoj, dere!' gwaeddodd Twmcyn gan hyrddio'i hun drwy'r drws trap. Neidiodd at draed Tal Slip a'u goglais. Neidiodd Rhoj hefyd, crafangu traed Tal Slip, a thrio gwneud i'r pen-Cog ollwng ei afael a disgyn i'r llawr.

Ond methu wnaethon nhw. Roedd cymaint o faw ar draed Tal Slip, doedd e'n teimlo dim.

Cyn hir roedd ei draed ymhell o afael Twmcyn a Rhoj. Roedd e a Fel a'r pryfyn yn codi'n uchel dros y coed ac yn hedfan i ffwrdd dros ddyfroedd Cors Eth.

Sgwish!

Yn eistedd ar lannau'r gors â golwg ddryslyd a diflas ar ei wyneb, roedd Dexter Dolffin. Roedd hi wedi bod yn fore mor braf. Roedd e wedi derbyn llythyr personol oddi wrth Eth Huws yn gofyn iddo fe, Dexter Dolffin, ddod â sôs iddi. Dyna fraint! Dyna wych! Roedd Dexter wedi mynd ati ar unwaith i gasglu llond fan o boteli sôs a'i gyrru i'r gors at ei arwres.

Ar y ffordd i'r gors roedd calon Dexter mor llon â chalon ci mewn siop cigydd, ac ers awr a mwy – ar ôl dianc rhag y pryfyn enfawr – roedd e wedi bod yn sefyll ar lannau'r gors yn gweiddi 'Eth! Eth! Dwi wedi dod â'r sôs! A dy ffliper di hefyd!' Roedd e'n disgwyl gweld wyneb hapus yn codi o'r dŵr, a chlywed llais yn gweiddi, 'Da iawn, Dexter! Does neb tebyg i ti,' ond hyd yn hyn doedd e wedi clywed dim gan Eth ond rhyw **'YBL-YBL-YBL!'** (CAU DY GEG, Y MWLSYN!) wrth iddi chwyrnellu heibio.

A nawr roedd fan arall yn nesáu at y gors, un ENFAWR, llawer mwy na'i fan e. Yn amlwg roedd Eth wedi anfon llythyr personol at rywun arall. Ochneidiodd Dexter a gwylio'r fan yn rymblan yn nes.

Yng nghaban y fan, rhwng Jac y gyrrwr a Nadia'r ferch camera, eisteddai Tili Lagwna, y gyfarwyddwraig enwog o Stiwdio Joligwd. Syllai Tili ar lun oedd yn ei llaw. Gan ei bod hi mor enwog am gyfarwyddo ffilmiau iasoer, roedd pobl dros y wlad i gyd yn anfon lluniau bwystfilod ati. Roedd ambell lun yn erchyll. Roedd y mwyafrif yn ffug. Unwaith fe anfonodd rhyw ffŵl lun o Fwystfil Llyn Tegid, a be oedd hwnnw ond buwch yn sefyll yn y dŵr â mwgwd am ei hwyneb. '**Hm!**' snwffiodd Tili Lagwna, gan lygadu'r llun o'r bwystfil yn ei llaw. 'Er mai hwn yw'r bwystfil mwya erchyll dwi erioed wedi'i weld, dwi ddim yn mynd i fynd yn rhy gyffrous, rhag ofn mai twyll yw e.'

Gwyddonydd o'r enw Doctor Slip oedd wedi creu'r creadur salw. Roedd ef ei hun yn y llun, yn sefyll yn ymyl y Bwystfil. *Go brin y byddai person mor urddasol yn dweud celwydd*, meddyliodd Tili a chroesi'i bysedd. Er ei gwaethaf, roedd hi'n teimlo'n gyffrous. Os oedd hwn yn fwystfil go iawn, mi fyddai hi'n mega-mega-enwog.

Roedd hi'n breuddwydio am brynu Castell Coch a byw yno fel brenhines, pan drawodd Jac ei droed ar y brêc. Sgrechiodd teiars y fan, a neidiodd y llun o law Tili.

'Y llun! Y llun!' gwaeddodd y gyfarwydd-wraig, a phlymio i'r llawr ar ei ôl. Uwch ei phen roedd Jac a Nadia'n gwichian: '**Wwwww! Ooooooo!**'

'Be sy'n bod arnoch chi'ch dau?' snwffiodd Tili. 'Pam y'n ni wedi stopio fan hyn? Ry'n ni i fod i yrru at ryw lwybr sy'n croesi'r gors. Mae'r bwystfil ar yr ynys yr ochr draw.'

'N . . . n . . . na. Dyw e ddim!' crawciodd Nadia a'i dannedd yn rhincian.

Cododd Tili o'r llawr a syllu drwy ffenest flaen y fan. '**WWWWAAAAAAW!**'

Roedd y bwystfil yn hedfan dros y gors! Roedd e wedi gafael yn rhyw ferch, a Doctor Slip yn trio'i hachub.

'**WWWWWAWWW!**' meddai Tili eto. 'Camera, Nadia! Camera! Tynna lun! Tynna lun!'

Disgynnodd Tili, Nadia a Jac blith draphlith o'r fan a rhedodd Jac i nôl y camera. Chlywodd e mo'r '**YBL-YBL-YBL!**' ffyrnig na gweld snorcel yn gwibio heibio drwy fwd y gors. Roedd ei lygaid e a llygaid pawb arall wedi'u hoelio ar yr olygfa ryfeddol uwchben. Chlywodd Dexter mo'r '**YBL-YBL-YBL**' chwaith. Roedd Dexter wedi gweld y pryfyn enfawr yn dod tuag ato ac wedi hyrddio'i hun i gefn ei fan a chau'r drws. Roedd e'n dal yno funud yn ddiweddarach, pan gododd person ffliperog, cynddeiriog o Gors Eth.

Eth Huws oedd hi! Roedd Eth wedi cael LLOND BOL! Am ddiwrnod ofnadwy! Doedd dim llonydd i'w gael. Sut gallai hi dorri record pan oedd pawb yn gweiddi a sgrechian o'i chwmpas.

'**YBL-YBL-YBL!** (AR Y PRYFYN MAE'R BAI!)' rhuodd Eth. '**YBL-YBL-YBL-YBL-YBL!**' (FE GA I WARED ARNO NAWR.) A chydag '**YBL!**' arbennig o chwyrn fe blymiodd y gors-snorclwraig fyd-enwog tuag at y bocsys ar lan y gors. Roedd hi wedi gofyn i Dexter Dolffin ddod â stwff lladd pryfed, yn doedd? Diolch byth ei fod e wedi ufuddhau.

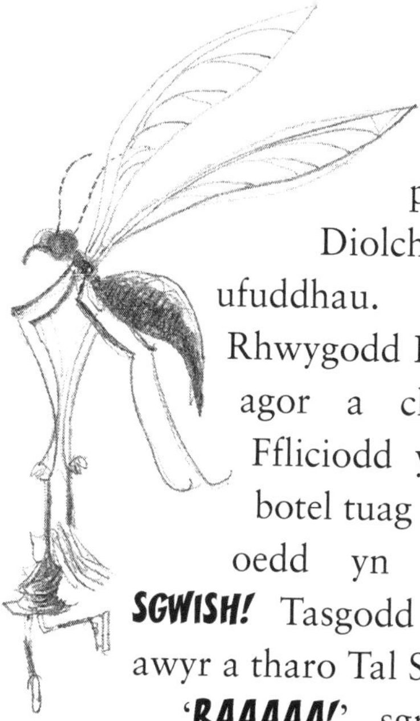

Rhwygodd Eth y bocs cyntaf ar agor a chipio potel allan. Ffliciodd y clawr, ac anelu'r botel tuag at y creadur annifyr oedd yn hedfan uwchben. **SGWISH!** Tasgodd y ffrwd goch i'r awyr a tharo Tal Slip yn ei lygaid.

'**RAAAAA!**' sgrechiodd Tal Slip. Cododd ei ddwylo i rwbio'i lygaid. '**RAAAAA!**' sgrechiodd eto a disgyn i'r gors.

'**YBBBBBBL!**' rhuodd Eth. Roedd hi wedi methu'r pryfyn. Cydiodd mewn dwy botel a neidio o ben bocs i ben y fan. Roedd y pryfyn digywilydd yn trio codi'n uwch. Hanner-caeodd Eth ei llygaid ac anelu.

'Eth!' Roedd Fel newydd weld dwy botel o sôs yn pwyntio tuag ati. 'Eth! Pai . . !' Tagodd a phoeri llond ceg o sôs coch. 'Pryfyn!' gwaeddodd.

'Hedfana o ffordd Eth, a rho fi i lawr. Mi fydda i'n ddigon diogel ar lan y gors. Edrych, mae 'na ddigon o bobl.'

'**Bsssss**,' meddai'r pryfyn. Roedd Fel yn iawn. Hedfanodd yn ofalus tuag at y fan fawr oedd newydd barcio ar lannau'r gors. Roedd dau o'r teithwyr yn rhedeg yn wyllt i gyfeiriad Tal Slip, tra oedd y trydydd yn rhedeg ar eu hôl â chamera ar ei hysgwydd. O gwmpas y teithwyr disgynnai cawodydd o sôs. Gollyngodd y pryfyn Fel yn ymyl y fan. '**Bssssssss!**' meddai, sef 'Cadw o ffordd y sôs.'

'Diolch.' Gwenodd Fel arno'n swil. 'Mae'n ddrwg gen i am fod yn gas tuag atat ti'n gynharach,' meddai o waelod ei chalon. 'Rwyt ti'n arwr ac yn fardd.' Doedd hi ddim yn siŵr iawn sut i fwytho pryfyn, felly fe ddododd ei llaw dan ei ên a'i oglais.

'**Bssssss**,' meddai'r pryfyn a'i fochau'n binc.

Yna, gan godi i'r awyr mor ysgafn â phluen, fe hedfanodd yn ôl i'r ynys fechan i achub Rhoj a Twmcyn. Gofalodd gadw'n ddigon pell oddi wrth Eth, ac oddi wrth y Cogs oedd yn sefyll yn glwstwr gofidus ar draeth yr ynys yn gwylio'u pennaeth yn suddo i'r mwd.

Stampiodd Eth ei thraed mewn tymer. Roedd y pryfyn yn dianc! Stampiodd ei thraed eto.

Yn y fan oddi tani clywodd Dexter y sŵn ffliperog. Doedd bosib mai Eth oedd ar y to? 'Eth? Ti sy 'na?' gwichiodd yn grynedig. 'Eth?' Mentrodd agor y drws a gwthio'i ben allan. **SLWTSH!** Disgynnodd ffrwd o sôs *chilli* dros ei glustiau. Syllodd drwy'r *chilli ar* wyneb ffyrnig.

'**YBL-YBL-YBL!**' (Y FFŴL! RWYT TI WEDI DOD Â'R STWFF ANGHYWIR! DYW HWN YN DDIM GWERTH AR GYFER LLADD PRYFED!) chwyrnodd Eth.

Drwy lwc ddeallodd Dexter 'run gair. Roedd e'n meddwl bod Eth yn diolch iddo am ddod â'r sôs. Gwenodd yn swil ac edrych o'i gwmpas. Roedd sôs dros bob man. **A!** Dyna pam sgrifennodd Eth ata i, meddyliodd. Roedd hi am chwarae gêm o *Paintball*. Allai hi ddim defnyddio paent go iawn, rhag ofn gwenwyno'r gors, felly roedd hi'n defnyddio sôs yn lle hynny. Gan wenu'n swil eto, fe gododd Dexter botel o sôs brown a'i anelu ati.

SGWISH! Trawodd y sôs Eth ar ei thrwyn. Gyda sgrech annaearol llithrodd traed y gors-snorclwraig oddi tani. Sglefriodd Eth oddi ar do'r fan a disgyn ar ei phen i'r mwd.

Giglodd Dexter yn llon a chydio mewn potel o sôs tabasco. Disgwyliodd yn eiddgar i Eth ddod allan i orffen y gêm, ond wnaeth hi ddim. Roedd hi'n gwibio ar gyflymder rhyfeddol i ben pella'r gors.

Ar y ffordd fe basiodd hi o fewn metr i'r Cogs, ond chymeron nhw ddim sylw o gwbl. Roedd y Cogs yn dal i syllu'n ofidus ar eu pennaeth yn suddo i'r gors, ac ar y camera oedd yn anelu tuag ato.

'**O-o!**' gwichiodd Crafydd mewn llais bach.

'Mae'r Bwystfil yn dianc,' ochneidiodd Wag, gan gysgodi'i lygaid a gwylio'r pryfyn yn hedfan uwchben.

'Bydd Tal o'i go,' gwichiodd Llywela'n drist.

'A fydd e ddim yn hoffi cael tynnu'i lun ac

yntau â mwd ar ei wyneb,' ochneidiodd Angelbert yn llai trist. Roedd diferyn bach o sôs coch wedi glanio ar ei gwefus, ac – **mmm!** – roedd e'n flasus. Roedd diferyn bach arall wedi glanio ar gefn Wag. Estynnodd ei bys yn ofalus, ei grafu i ffwrdd a rhoi'i bys yn ei cheg. Gwibiodd ei llygaid i gyfeiriad glannau'r gors. Roedd y glannau'n morio mewn sôs. '**Mmmmmmmmm!**'

'Wyt ti'n meddwl am dy fol yn lle meddwl am ein hannwyl bennaeth?' gofynnodd Llywela'n swta.

'Na,' atebodd Angelbert yn gelwyddog. 'Mmmmmmedddwl sut i achub Tal rhag y camera ydw i.'

'A beth yw dy benderfyniad di?' gofynnodd Llywela 'run mor swta.

Crafodd Angelbert ei phen brwnt. 'Dal y pryfyn!' meddai'n sydyn. 'Os awn ni â'r pryfyn at Tili Lagwna, bydd hynny'n rhoi cyfle i Tal ddianc a . . .' Pesychodd.

'Dianc a beth?' gofynnodd Crafydd.

Roedd Angelbert wedi bwriadu dweud 'dianc a chael bath', ond erbyn meddwl doedd hi erioed wedi gweld Tal Slip yn cael bath. Cododd ei hysgwyddau. 'Dianc a pharatoi ar gyfer y ffilmio,' meddai.

'Syniad da,' meddai Wag. 'Dewch!'

Roedd Wag wedi gweld y pryfyn yn disgyn i gyfeiriad y llannerch yng nghanol yr ynys. I ffwrdd ag e ar ras i'r cyfeiriad hwnnw, a gweddill y Cogs wrth ei sodlau.

Doctor Slip, dwi'n tybio

Doedd dim rhaid i'r pryfyn fod wedi glanio yn y llannerch o gwbl. Doedd Rhoj a Twmcyn ddim yno. Roedd y ddau ohonyn nhw'n cripian drwy'r llwyni tuag at y llwybr o gerrig gwynion. Pe bai'r pryfyn wedi edrych yn ofalus, fe fyddai wedi gweld y llwyni'n ysgwyd wrth iddyn nhw symud drwy'r dail.

Ond roedd y pryfyn wedi gweld rhywbeth arall. Roedd e wedi gweld ffeil binc yn gorwedd ar gwr y llannerch. Ffeil Rhoj oedd hi! Roedd y pryfyn wedi'i gweld hi droeon yn fan bost y bardd, pan oedd honno wedi'i pharcio yn iard

Swyddfa Bost Canolbarth Cymru. Allai'r pryfyn ddim hedfan heibio a gadael y ffeil ar lawr. Allai e ddim gadael i'r Cogs ei sarnu. Roedd ôl traed arni'n barod, a diferion o fwyd ffiaidd. Felly i lawr ag e ar ei union a gafael yn y ffeil.

Pe bai'r pryfyn wedi codi'n syth i'r awyr, mi fyddai wedi achub ei hunan. Ond wnaeth e ddim. Roedd y pryfyn yn fardd, ac fel pob bardd, allai e ddim mynd heibio i farddoniaeth rhywun arall heb gael sbec arni. Ffliciodd y pryfyn y ffeil ar agor gan feddwl darllen gair neu ddau.

Dau funud yn ddiweddarach, roedd e'n dal i ddarllen. Chlywodd e mo'r Cogs yn carlamu ar draws yr ynys.

Dau funud eto, ac roedd e'n darllen o hyd. Chlywodd e mo'r Cogs yn ffrwydro i'r llannerch ac yn gweiddi '**IA-HW!**'

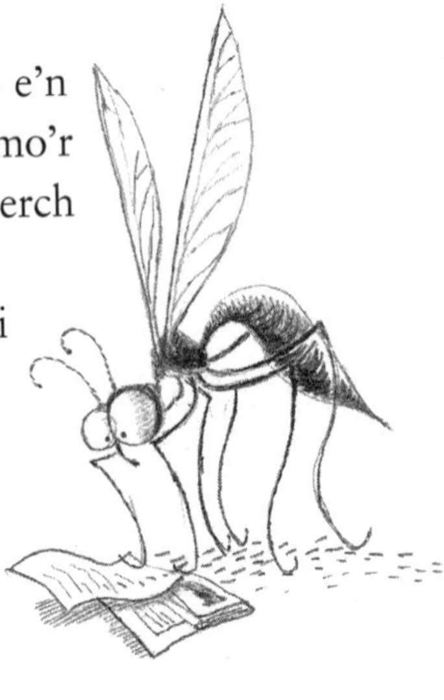

Roedd y pryfyn wrth ei fodd yn darllen geiriau Rhoj. Roedd ei ben yn llawn o ddarluniau hyfryd croyw loyw, o awyr las, o adenydd pili-

palod, o elyrch ar lyn, o Ynys Afallon, a chymylau bach gwynion. Sylwodd e ddim ar y cwmwl mawr du oedd yn chwyrlïo uwch ben. Hen sgert Angelbert oedd hi. Disgynnodd y sgert.

'**Bsssss!**' llefodd y pryfyn. Rhy hwyr. Roedd e wedi'i ddal mewn sgert dywyll, ddrewllyd. Cydiodd y Cogs yn nau ben y sgert a'i chodi. Cyn pen dim roedd y pryfyn yn cael ei gario fel rholyn o garped tuag at draeth yr ynys.

Ar y ffordd fe basiodd o fewn trwch blewyn i'r llwyn lle'r oedd Rhoj yn cuddio. Clywodd Rhoj '**bssss**' fach drist. Gwylltiodd ar unwaith. Roedd y pryfyn wedi'i ddal. Ble oedd Fel?

Oedd hi yn nwylo Tal Slip? Byddai wedi rhuthro ar unwaith i achub ei ffrind ac i chwilio am ei ferch, oni bai bod Twmcyn wedi gwasgu'i law dros ei geg a'i ddal yn dynn.

'Gan bwyll,' sibrydodd Twmcyn.

Arhosodd Twmcyn i'r Cogs fynd o'r golwg, cyn llacio'i afael ar Rhoj. Daliodd ati i gydio ym mhenelin y bardd, rhag ofn iddo wylltio eto.

'Gad i ni weld be sy'n digwydd, cyn gwneud dim byd byrbwyll,' sibrydodd.

Cripiodd y ddau at y traeth, sleifio y tu ôl i goeden a sbecian. **A!** Allen nhw ddim credu'u llygaid. Roedd brwydr sôslyd wedi digwydd ar lannau Cors Eth, gan adael streipiau coch a brown a melyn ac oren dros bobman. 'Feeeeeel!' griddfanodd Rhoj.

'Mae Fel draw fan'na,' sibrydodd Twmcyn yn gyffrous. 'Mae hi'n iawn!' Yr ochr draw i'r gors, roedd Fel yn brysio at fan las Dexter Dolffin, oedd bron â diflannu dan drwch o sôs.

'Fel!' gwichiodd Rhoj, ond chlywodd Fel mo'i thad.

Drwy lwc chlywodd y Cogs mohono chwaith o achos y sŵn byddarol oedd yn atsain dros y gors – y poeri a'r sblatian, y chwyrnu a'r gweiddi. Yn y dŵr roedd Tal Slip yn sboncio fel pêl enfawr ac yn chwythu fel morfil.

'**HEEEE . . . ARRRRRR . . . GLYG . . . TSHWWWWW . . . YCH!**' Bob tro oedd Tal yn agor ei geg i weiddi, roedd ei geg yn llenwi â mwd. Roedd mwd yn llifo dros ei wyneb, gan ei wneud yn ddall. Yn waeth na dim, roedd dŵr yn swisian rownd ei draed. Roedd Tal yn casáu dŵr.

'**HEEEEE . . . GLYG . . . TSHWWWWW . . . IYCH!**' nadodd pennaeth y Cogs mewn panig llwyr.

Allai e ddim gweld Tili a Jac yn rhedeg tuag ato, ond gallai deimlo cryndod eu traed ar y cerrig gwynion. Trodd tuag atyn nhw a chwifio'i freichiau.

'**A!**' gwichiodd Jac a chamu tuag at yn ôl.

'Achub e!' gwaeddodd Tili a'i wthio yn ei flaen.

'**Ybbbbbbl!**' meddai llais cyffrous o dan y dŵr.

Chlywodd neb yr yblan. Am unwaith, roedd Eth yn sibrwd. Sibrwd mewn rhyfeddod! Roedd Eth wrth ei bodd. Roedd hi newydd wibio o un pen y gors i'r llall mewn 18.5 eiliad, ac wedi'i torri'i record ei hunan yn rhacs. 18.5 eiliad! Wrth gwrs, châi'r amser hwn mo'i dderbyn gan Gymdeithas Gors-snorclo'r Byd. Roedd Eth yn sylweddoli hynny. Roedd rheolau'r

Gymdeithas yn fanwl iawn. Doeddech chi ddim i fod ychwanegu dim byd annaturiol at y dŵr, ac er bod sôs brown a choch, sôs tabasco a chilli yn naturiol iawn ar ben byrgyrs, doedden nhw ddim yn naturiol mewn cors.

Ond dyna brofiad gwych oedd nofio mewn sôs. Roedd y sôs yn llifo mor esmwyth dros snorcel a ffliper. **Mmmmmm!** Teimlai Eth yn felys, yn gynnes, ac yn llawer llai pigog nag arfer. Felly pan welodd hi Tal Slip yn gwylltio, yn garedig iawn fe benderfynodd roi help troed iddo.

'**Ybl-ybl-ybl**' (Paid â phoeni. Fe helpa i di nawr), meddai Eth yn fwyn, gan anelu ffliper sôslyd at ben-ôl Tal Slip.

SHHHHHHLWMP! Cododd Tal Slip o'r gors fel morfil yn codi o'r dyfnder a disgyn â **BOIIINNNNG!** anferthol ar y llwybr o gerrig gwynion.

'**Aaaaa!**' sgrechiodd Jac a Tili a disgyn wysg eu cefnau ar y llwybr rhwng Tal a'r ynys.

Cyn iddyn nhw gael cyfle i godi, neidiodd pedwar pâr o draed drostyn nhw. Rhedodd perchnogion y traed at eu harweinydd, Tal Slip, gan ollwng y rholyn oedd yn eu dwylo. Disgynnodd y rholyn ar y llwybr, ac allan ohono daeth creadur rhyfeddol.

'**O!**' gwichiodd Tili Lagwna. 'Diolch byth eich bod chi yma, Doctor Slip!'

'**GLYG!**' Roedd Tal Slip newydd sychu'i wyneb ar sgert Llywela, felly roedd e'n gallu gweld o'r diwedd. '**GLYG!**' gwaeddodd yn falch, pan welodd e Tili Lagwna, y gyfarwyddwraig enwog, yn sefyll ar y llwybr o gerrig gwynion, ac yn crynu o achos y pryfyn. Â '**glyg**' arall cododd ar ei draed a cherdded yn bwysig tuag ati.

'**O!**' Cydiodd Tili'n dynn ym mraich Jac. 'Ydy'r Bwystfil yn ddiogel, Doctor Slip?' gofynnodd yn grynedig.

'Nac ydy!' meddai Tal, ei lygaid yn gwreichioni a mwd yn tasgu rhwng ei ddannedd. 'Mae'n ffyrnig. Mae'n filain. Mae'n barod i'ch llarpio neu'ch malu'n rhacs.'

Clec-clec-clec-clec. Rhinciodd dannedd Tili Lagwna. Er ei bod hi mor enwog am wneud ffilmiau iasoer, doedd hi erioed wedi cwrdd â bwystfil ffyrnig go iawn o'r blaen. Doedd ond gobeithio bod Nadia'n ei ffilmio. Roedd y ferch camera'n dal i gamu'n ddewr ar hyd y cerrig gwynion.

Sychodd Tal ei wyneb ar lawes Crafydd, ac yna ar grys Wag. Sychodd ei ddwylo yng ngwallt Angelbert. '**Shw! Shw!**' meddai wrth y pedwar Cog. Doedd e ddim yn eu trystio, yn enwedig Angelbert. Falle bydden nhw'n esgus eu bod wedi helpu i greu'r Bwystfil, a doedd hynny ddim yn wir. Dim ond fe, Tal Slip, oedd yn ddigon clyfar i fwrw swyn. '**Shw! Shw!**' meddai eto.

'A . . . Allwn ni ddim,' meddai Crafydd yn

nerfus. 'Mae pobl yn y ffordd,' sibrydodd. 'Allwn ni ddim pasio.'

'**Hm!**' Sythodd Tal ei ysgwyddau, a chan wenu fel gât ar y camera, fe roddodd broc slei ond nerthol i Crafydd. Syrthiodd Crafydd yn erbyn Wag, Wag yn erbyn Llywela, a Llywela yn erbyn Angelbert. Disgynnodd y pedwar Cog fel dominos i fwd y gors.

'Lwyddest ti i ffilmio hynna, Nadia?' sgrechiodd Tili Lagwna.

Nodiodd Nadia. Er bod ei dwylo'n crynu, roedd hi wedi dal ati i ffilmio.

'O, ff . . . ff . . . ffantastig!' crawciodd Tili. Hon fyddai'r ffilm orau erioed. Doedd ond gobeithio na châi neb ei larpio'n fyw cyn gorffen y gwaith.

'**Glyg . . . glyg . . . glyg . . . glyg!**' Roedd y pedwar person yn y gors yn glygian yn druenus ac yn syllu'n siomedig ar y bwystfil erchyll. Safai'r pryfyn uwch eu pennau. Roedd e'n estyn dwy droed, ond doedd neb yn fodlon cydio ynddyn nhw.

'Jac, cer i helpu Doctor Slip,' meddai Tili.

Y dyn colur yw Jac, meddyliodd Tal Slip yn gyffrous. Caeodd y pen-Cog ei lygaid, crychu'i geg, a disgwyl i bowdwr lanio ar ei fochau a minlliw ar ei wefusau. Ar ôl hanner munud o ddisgwyl sbeciodd ag un llygad. Roedd y ffŵl dyn colur yn sefyll yn ymyl y pryfyn ac yn helpu i godi Angelbert o'r gors!

'Hei, ffor' hyn, y mwlsyn!' gwaeddodd Tal, gan brocio Jac yn ei ysgwydd.

'Wps!' SBLASH!

Disgynnodd Jac ar ei ben i'r mwd.

'AAAAA! Mae'r Bwystfil wedi taro eto!' gwaeddodd Tili, gan gymryd cam neu ddau'n ôl tuag at yr ynys. 'Gwyliwch, Doctor Slip!'

'Dwi *yn* gwylio,' meddai Tal Slip. 'A dwi'n dod atat ti, Tili!' Estynnodd ei ddwylo i wthio'r pryfyn o'i ffordd.

'**Aaaaaaa!**'
sgrechiodd Tili wrth i'r pryfyn simsanu. Oni bai ei fod e'n bryfyn, mi fyddai wedi disgyn i'r dŵr fel y Cogs. Ond mae gan bryfyn adenydd. Gydag un fflap ffyrnig fe gododd i'r awyr a sŵmian tuag at Tili. 'Brysiwch!' sgrechiodd Tili. 'Brysiwch, Doctor Slip!' Chwifiodd ei dwylo yn yr awyr mewn braw. Cydiodd y pryfyn ynddyn nhw, sgubo Tili oddi ar ei thraed a'i chario tuag at yr ynys, a Tal Slip yn rhedeg ar eu holau.

Shlwmp! Shlwmp! Shlwmp! Shlwmp! Shlwmp!
O'r tu ôl iddyn nhw disgynnodd Jac a'r pedwar Cog ar y llwybr o gerrig gwynion. Ar ben-ôl pob un roedd ôl ffliper garedig.

'Dewch, y diogiaid!' gwaeddodd Tal Slip dros ei ysgwydd. 'Mae'r pryfyn wedi cipio Tili Lagwna.'

Roedd trwch o fwd a sôs ar y llwybr cerrig, gan ei wneud yn llithrig dros ben. Gan sgidio a gwichian fe ruthrodd y Cogs drosto nes cyrraedd traeth yr ynys fechan. Yno fe welson nhw rywbeth dychrynllyd iawn, a chlywed rhywbeth hyd yn oed yn waeth.

Fe welson nhw Tili Lagwna a'r pryfyn yn glanio ar y traeth yn ymyl bachgen twp a bardd drewllyd oedd newydd gamu o'r tu ôl i goeden. Fe welson nhw Tili'n estyn ei llaw at y pryfyn, ac fe glywson nhw hi'n dweud mewn llais uchel, sebonllyd, 'Diolch o galon i chi am fy achub i, annwyl Ddoctor Slip!'

'**Yyyyyyy?**' Mi fyddai gwallt Tal wedi codi ar dop ei ben, oni bai am y trwch o fwd. 'Dwi fan hyn!' gwaeddodd. 'Fan hyn! Fi yw Doctor Slip!'

'**Iiiiich!**' gwichiodd Tili a chuddio y tu ôl i'r pryfyn.

'**O-o!**' sibrydodd Angelbert. Yn ei hymyl roedd ei hannwyl bennaeth yn troi'r un lliw â sosbanaid o gawl

tomatos. Roedd y mwd ar ei wyneb yn poethi ac yn hisian. Roedd chwys yn tasgu i bobman.

'Angelbert!' chwyrnodd drwy'i ddannedd. 'Pan anfonest ti lythyr i Tili Lagwna, wnest ti roi'r enwau anghywir ar y llun?'

'Naddo,' ochneidiodd Angelbert. Doedd hi ddim wedi rhoi enwau o gwbl. Roedd hi'n meddwl y byddai Tili Lagwna yn gwybod y gwahaniaeth rhwng Bwystfil a phennaeth y Cogs, ond yn amlwg doedd hi ddim. Ochneidiodd Angelbert eto. Roedd Tili'n tynnu'r llun o'i phoced ac yn rhoi'i bys ar Tal Slip.

'Dyma'r Bwystfil fan hyn,' meddai'r gyfarwyddwraig yn swta. 'A chi yw e.'

'**Grrrrrrrrrrrr!**'

Chwyddodd Tal Slip fel balŵn anferthol. Roedd y fenyw'n ei insyltio. Yn waeth byth roedd hi'n ei insyltio o flaen Ofnadwy O'Fandal. Roedd Tal wedi gweld gwên fach ar wyneb ei elyn.

'**RAAAAAAAAAAAA!**'

rhuodd. 'Os mai fi yw'r Bwystfil, dwi'n mynd i'ch bwyta chi'n syth bìn.' Trodd at y pedwar Cog oedd yn sefyll yn ei ymyl. 'Daliwch hi!' gwaeddodd.

Symudodd neb 'run cam.

'Daliwch hi!' gwaeddodd Tal eto.

'Tal, **sh!**' sibrydodd Crafydd. Rhoddodd binsiad fach slei i fraich ei bennaeth a nodio i gyfeiriad y camera oedd yn ffilmio popeth. Beth os byddai'r heddlu'n gweld y ffilm? '**Hi-hi hi-hi**,' meddai'n uchel. 'Am jôc!'

'**Hi-hi-hi-hi**,' adleisiodd Llywela, Wag a Crafydd.

'Pam ych chi'n **hi-hi-hi-hi-ian?**' chwyrnodd Tal. 'Dyw hyn ddim yn jôc! **RRRRRRRRRR!**' Gwasgodd ei ddyrnau a gweiddi'r rysáit gyntaf ddaeth i'w ben. Doedd hi ddim yn rysáit arbennig o dda, ond ta waeth.

Am eiliad disgynnodd tawelwch llethol dros yr ynys fechan. Yna **'Hi-hi-hi-hi!'** gwichiodd Llywela'n nerfus a llygadu Nadia.

'LLYWELA!' rhuodd Tal. 'Dwi am newid fy archeb:

'Dwi am Tili
Efo chilli,
Salmonela
A Llywela!'

'Hi hi-hi hi!' meddai Angelbert wrth y camera, gan daro'i llaw dros geg Tal Slip a gwenu ar yr un pryd. 'O'nd yw Tal yn actor da?'

'RRR . . . YYYY . . . RRRR!' (ACTIO? DWI DDIM YN ACTIO!) chwyrnodd Tal o dan ei llaw.

'Ac yn un da am jôcs,' meddai Angelbert.

'RRRRR . . . YYYYY . . . RRRRRR!!!!!!' (JÔCS!!!!!!) chwyrnodd Tal Slip.

'Dwi'n meddwl y dylai e actio mewn ffilm!' meddai Angelbert yn uchel.

'RRRRAAAAAAAA!' rhuodd Tal Slip, gan gydio yn llaw Angelbert a'i rhwygo o'i geg. Cododd ei ben fel blaidd ac udo, **'RAAAAAAAAAA!'** Roedd Angelbert wedi'i gwneud hi nawr.

Roedd e'n mynd i'w bwyta hi a Tili a Llywela a Crafydd a Wag ac Ofnadwy O'Fandal. Dim ots os byddai'i fol yn brifo am wythnos. Dim ots os oedd y camera'n ei ffilmio. Roedd e'n mynd i'w bwyta i gyd, ac wedyn . . .

Cyn i Tal benderfynu beth fyddai'n digwydd wedyn, fe sylwodd ar Tili'n camu tuag ato, a golwg llawn rhyfeddod ac edmygedd ar ei hwyneb. **Y?** Fel 'na oedd y ffans yn arfer edrych arna i amser maith yn ôl, pan o'n i'n un o sêr y teledu, meddyliodd Tal Slip, a llifodd rhyw atgof bach melys drwy'i gorff, fel ffrwd o sôs coch yn llifo'n sydyn drwy gors.

'Ife actio oeddech chi go iawn?' gofynnodd Tili'n llawn cyffro.

Pesychodd Tal Slip.

'Ie, actio oedd e,' meddai Angelbert yn gyflym.

Roedd calon Tili'n curo'n sionc. Roedd hi wedi breuddwydio am y diwrnod hwn ers blynyddoedd maith. Er i Tili chwilio ym mhobman, doedd hi erioed wedi dod ar draws bwystfil erchyll go iawn. Ar gyfer ei ffilmiau roedd hi'n gorfod dibynnu ar actorion, a'r rheiny'n gorfod treulio oriau bob dydd yn y stafell goluro. Er mwyn edrych yn wirioneddol erchyll, roedd powdwr a phaent a darnau o

rwber yn cael eu sticio dros eu cyrff. Ond roedd yr actor hwn yn wahanol. Cyffyrddodd Tili'n dyner â boch Tal Slip a rhoi plwc bach i'w wallt. Nid wìg oedd y gwallt, ac nid rwber oedd y foch. Roedd yr actor yn naturiol erchyll! Roedd e cystal bob tamaid â bwystfil go iawn.

Ochneidiodd Tili'n hapus a gafael ym mraich Tal Slip. 'Doctor Slip, dwi'n tybio y byddi di'n actor enwog iawn,' meddai. 'Dere gyda fi ar unwaith i Stiwdio Joligwd.'

Pesychodd Crafydd a Llywela, Wag ac Angelbert.

'Bydd rhannau i chi yn fy ffilmiau. Fe gewch chithau fod yn enwog hefyd,' meddai Tili'n garedig.

'Ond nid hanner mor enwog â fi!' snwffiodd Tal Slip.

Cydiodd ym mraich Tili, ac â'i drwyn yn yr awyr fe arweiniodd y ffordd yn ôl at y llwybr o gerrig gwynion. Roedd ei drwyn gymaint yn yr awyr, nes iddo fethu gweld y slwtsh o sôs coch ar y garreg gyntaf. Sgidiodd ar y sôs a disgyn ar ei ben i'r gors, gan lusgo Tili i'w ganlyn. Drwy lwc, roedd Eth wrth law i'w cicio'n garedig yn ôl i'r lan.

Grrrrrêt!

Wedi i Tili a Tal gyrraedd y lan bellaf, trodd Angelbert a syllu'n geg-agored ar y pryfyn.

'Mae gyda fe ddwy adain, chwe choes a dau lygad enfawr,' meddai wrth Rhoj.

'Oes,' meddai Rhoj.

'Ac mae e'n anferth.'

'Ydy,' meddai Rhoj.

'A dyw e'n dweud dim byd ond "**bsssssss**".'

'Na,' meddai Rhoj.

'Felly sut oedd Tili'n methu gweld mai fe oedd y Bwystfil?' gofynnodd Angelbert.

'Achos dyw e ddim yn fwystfil,' atebodd Rhoj. 'Roedd Tili wedi syllu i'w lygaid a sylweddoli ei fod e'n fardd.'

Cododd Angelbert ei gên a syllu i lygaid mwyn y pryfyn. Aeth ias fach hyfryd drwyddi, a llu o freuddwydion hapus. Ochneidiodd. 'Ond mae Tal Slip yn fardd hefyd,' meddai'n ansicr.

‘Tal Slip yw’r bardd gorau yn y byd,’ mynnodd Crafydd.

‘Ie!’ meddai’r Cogs i gyd.

Ddwedodd Rhoj ’run gair. Beth allai e ddweud heb fod yn gas?

Tra oedd e’n dal i feddwl, fe gododd y pryfyn i’r awyr a hedfan tuag at yr hen sgert oedd yn dal i orwedd ar y llwybr o gerrig gwynion. O blygion y sgert tynnodd ffeil binc, a’i chario’n ofalus yn ôl i’r ynys. Gwenodd Rhoj ac estyn ei law amdani.

Roedd y pryfyn yn iawn. Yr unig ateb i’r Cogs oedd dangos iddyn nhw beth oedd barddoniaeth dda.

Tra oedd Rhoj yn difyrru'r Cogs ar draeth yr ynys, fe aeth Twmcyn i chwilio am Fel. Roedd hi'n eistedd rhwng dau focsaid o sôs ar lan y gors, yn streipiau a smotiau drosti i gyd. Ar ôl gwneud yn siŵr fod pawb yn iawn, roedd hi wedi bod wrthi'n helpu Dexter i lanhau'i fan.

'Rwyt ti newydd golli Dexter,' galwodd, pan gyrhaeddodd Twmcyn y lan. 'Dwi wedi'i anfon e adre i'n tŷ ni i nôl y llwyth o fwyd iach brynes i yn y Siop Fawr.'

'**O?** Beth wyt ti'n mynd i'w wneud â'r bwyd?' gofynnodd Twmcyn, gan eistedd yn ymyl Fel. 'Dyw Tal ddim yma i'w fwyta.'

'Na,' meddai Fel â cheg gam.

'Felly chei di ddim gwared o'r swyn. Wyt ti'n siomedig?'

Cododd Fel ei hysgwyddau. 'Falle bydd Tal yn hapus yn Stiwdio Joligwd,' meddai. 'Ac os bydd e'n hapus, falle bydd e'n fodlon symud y swyn oddi arna i ryw ddiwrnod. Ta beth, dwi'n mynd i gael PARTI!' gwaeddodd Fel, gan daflu'i breichiau i'r awyr.

'Parti?' Gwenodd Twmcyn o glust i glust.

'Mae gen i ddigon o fwyd.'

'Oes!'

'A digon o sôs.'

'Oes! Ac mae gen ti wisg barti,' chwarddodd Twmcyn. '**Rwyt ti'n edrych fel teigr streipiog, smotiog**.'

'**GRRRRRRRRRRRRRRR!**' Am ddeg eiliad atseiniodd rhu frawychus dros Gors Eth, a phlymiodd Twmcyn y tu ôl i focs sôs wrth i deigr streipiog smotiog grafangu'r awyr uwch ei ben. Pe bai Tili Lagwna wedi edrych dros ei hysgwydd wrth i'w fan yrru i ffwrdd, mi fyddai wedi mynnu rhuthro'n ôl i ffilmio'r creadur rhyfeddol a gwahanol hwn. Ond wnaeth hi ddim. Roedd hi'n rhy brysur yn syllu ar wyneb bwystfilaidd Tal Slip.

'Rho'r plygiau'n ôl yn dy glustiau,' gwichiodd Twmcyn, wedi i Fel ddod ati'i hun unwaith eto.

'**Grrrrrr!**' giglodd Fel, ac estyn y plygiau o'i phoced.

Cafwyd parti gwych y prynhawn hwnnw ar yr ynys fechan yng nghanol Cors Eth. Mae pawb oedd yno – Y Cogs (pob un ond Tal Slip), Eth, Pryfyn, Fel a'i theulu, Twmcyn, aelodau Clwb Ffans Eth a staff Swyddfa Bost Canolbarth Cymru – yn cytuno mai hwn oedd y parti gorau erioed. Fe fwytodd pawb lond eu boliau o fwyd maethlon. Fe ddarllenodd Rhoj ei farddoniaeth. Wedyn fe ddarllenodd y Cogs eu barddoniaeth nhw, a gwneud i bawb chwerthin –

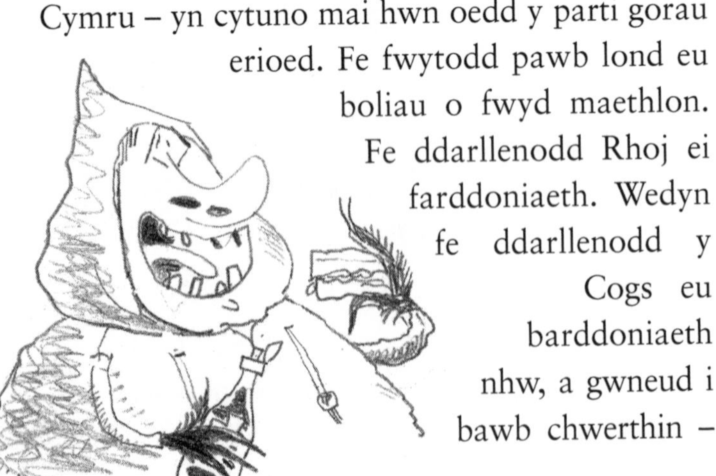

pawb ond Rhoj a'r pryfyn. Roedd e'n brynhawn hapus dros ben, a phawb yn ffrindiau.

'Dyna ddangos i ti bod bwyd da yn gwneud pobl yn garedig,' meddai Fel wrth Twmcyn.

'**Mmm**,' meddai Twmcyn ac estyn, fel pawb arall, am y sôs.

Hys-bsss eto

A dyna ddiwedd y stori.

Be?

Rwyt ti eisiau clywed am y ffilmiau?

Yn anffodus, alla i ddim dweud gair am ffilmiau Tili Lagwna – *King Cog*, *Cadi Cwcwll Cog yn Llyncu'r Blaidd* a *Pen-Cog ac Esgyrn Croes*. Dwi'n rhy ofnus i fynd i'w gweld nhw, ond mae pawb sy wedi mentro'n dweud eu bod yn ddychrynllyd iawn, yn enwedig y prif gymeriad.

Ond mi alla i ddweud gair am *Y Pryfyn a'r Sôs Coch*. **Waw!** Dyna i ti ffilm wych! Mae'r ddau brif gymeriad yn arwrol ac yn adrodd a hymian barddoniaeth sy'n codi gwallt dy ben. Clwb Beirdd Cymru benderfynodd wneud y ffilm hon i anrhydeddu'r pryfyn oedd yn fardd.

A! Rwyt ti wedi sylwi ar y gair 'oedd', yn dwyt? 'Be sy wedi digwydd i'r pryfyn,' meddet ti, 'a pham dyw e ddim yn fardd mwyach?'

Wel, mi ddweda i wrthot ti. Mi symudodd y pryfyn i fyw at Rhoj a'i deulu. Yno, fe dreuliodd wythnosau pleserus yn gwrando ar farddoniaeth, yn ffilmio ac yn bwyta bwyd maethlon a digonedd o sôs coch. Wrth fwyta'r sôs, fe lifodd gwenwyn y *Tail-tele* o gorff y pryfyn, ac fe aeth e'n llai ac yn llai ac yn llai. Nawr mae e'r un faint ag oedd e rai wythnosau'n ôl, pan oedd

e'n byw yn y bin sbwriel ger Swyddfa Bost Canolbarth Cymru.

Dyw e ddim am fynd yn ôl yno, chwaith. Mae e'n hapus yn stydi Rhoj. Er nad oes ganddo ddiddordeb mawr mewn barddoniaeth erbyn hyn, mae e'n hoffi cripian dros sgrin cyfrifiadur Rhoj a hymian rownd ei glustiau, ac mae Rhoj wrth ei fodd yn ei gwmni.

Mae'n rhyfedd iawn meddwl mai'r pry bach cyffredin hwn oedd y cawr o bry-fardd. Mwy na thebyg na fyddai neb yn credu, oni bai bod yr hanes i gyd wedi'i gofnodi yn *Y Pryfyn a'r Sôs Coch*.

Cofia wylio.

'**Bsssssss!**'

Wyt ti wedi darllen?

Gomer

Y CWPAN CORS-SNORCLO

SIÂN LEWIS